fruits de mer

LAROUSSE

21 RUE DU MONTPARNASSE 75283 PARIS CEDEX 06

Sommaire

Bigorneau

Bigorneaux au naturel 4

Calmar

Calmars à l'encre 6
Calmars à la calabraise 8
Calmars farcis aux fruits secs 9
Supions frits à la marseillaise 10

Cigale de mer

Cigales de mer au safran en brochettes 12

Coque

Omelette aux coques 13
Marinière de coques aux fines herbes 14
Salade de coques aux petits pois 16

Coquille Saint-Jacques

Carpaccio de saint-jacques aux fruits
de la Passion 17
Coquilles Saint-Jacques sautées
au concombre 18
Coquilles Saint-Jacques à la vapeur d'algues 20
Coquilles Saint-Jacques à la provençale 21
Coquilles Saint-Jacques
au piment d'Espelette 22

Couteau

Couteaux à la
crème 24

Crabe

Fraîcheur de crabe
à l'avocat et au
saumon fumé 26
Crabes en bouillon 27
Crabes farcis à la martiniquaise 28
Petites quiches au crabe et aux pommes 30

Crevette

Poêlée de crevettes au concombre 31
Crevettes à la citronnelle 32
Crevettes au riz et aux épices 34
Crevettes au lait de coco 35
Crevettes en brochettes 36
Croquettes de crevettes 38

Gamba

Vapeur de gamba à
la fondue de fenouil 40
Gambas aux échalotes et au vin blanc 41
Gambas à l'antillaise 42
Gambas « a la plancha » 44
Brochettes de gambas au bacon 46

Homard

Homards au four à l'estragon 48
Homards à la crème de paprika 49

Huître

Huîtres à la diable 50
Huîtres chaudes en crème de ciboulette 52
Huîtres à la Boston 53
Soupe d'huîtres 54
Huîtres en vinaigrette aux fines herbes 56

Langouste

Langouste à la chilienne 57
Langouste en mille-feuille 58

Langoustine

Wok de langoustines à la citronnelle 60
Soupe de langoustines 62
Langoustines en papillotes de poireau 63
Langoustines à la nage 64
Scampi fritti 66

Moule

Moules à la marinière aux noix 67
Moules en velouté safrané 68
Moules à la crème 70
Mouclade 72
Quiche aux moules et au cumin 74

Palourde

Palourdes à la mode de l'Algarve 75
Riz sauté aux palourdes et au thon 76

Pétoncle

Soupe de pétoncles à la thaïlandaise 78
Pétoncles et laitue en vinaigrette 79
Tagliatelles aux noix de pétoncle 80

Poulpe

Poulpe à la provençale 82

Praire

Petit consommé de praires à l'asiatique 83

Seiche

Blancs de seiche aux herbes
  de Provence 84
Seiches au paprika et aux fruits secs 86

Fruits de mer mélangés

Paella 87
Quiche marine 88
Pizza océane 90
Tagliatelles aux fruits de mer 91
Risotto de la mer 92
Orge perlé aux coquillages, façon risotto 94
Poivrons farcis aux fruits de mer 95

POUR 4 PERSONNES

Préparation : 10 min
Cuisson : 5 à 7 min

2 l de court-bouillon
(frais ou préparé avec une base
de produit déshydraté)

1,5 kg de bigorneaux

Bigorneaux au naturel

- Si vous n'utilisez pas un produit déshydraté du commerce, préparez d'abord le court-bouillon et laissez-le refroidir.
- Rincez abondamment les bigorneaux dans plusieurs eaux jusqu'à ce que la dernière soit claire. Sortez-les de l'eau à l'aide d'une écumoire afin de laisser au fond du récipient ou de l'évier les grains de sable qui pourraient encore rester.
- Portez le court-bouillon à ébullition et plongez-y les bigorneaux. Faites-les cuire pendant 5 à 7 minutes selon leur grosseur puis sortez-les à l'aide de l'écumoire.
- Servez les bigorneaux encore tièdes, accompagnés de pain de campagne et de beurre demi-sel.

Respectez le temps de cuisson : trop cuits, les bigorneaux se cassent lorsqu'on les décoquille.

POUR 4 PERSONNES

Préparation : 30 min
Cuisson : 30 min environ

Calmars à l'encre

1,5 kg de petits calmars

25 cl de vin blanc sec

1 pincée de farine

2 oignons

3 gousses d'ail

3 poivrons verts

2 tomates

30 cl d'huile d'olive

sel et poivre du moulin

- Nettoyez les calmars : séparez les têtes des corps, jetez les têtes, réservez les poches d'encre. Videz les tubes des calmars, rincez-les en retirant la fine membrane extérieure. Ôtez les nageoires. Coupez les tentacules et hachez-les finement. Crevez chaque poche d'encre et faites s'écouler l'encre dans un bol. Diluez-la avec 5 cl de vin. Ajoutez la farine.

- Pelez et émincez les oignons et l'ail. Rincez les poivrons et coupez-les en deux. Émincez-les après en avoir ôté les graines et les filaments blancs. Rincez les tomates et coupez-les en morceaux.

- Dans une poêle, faites chauffer 15 cl d'huile, ajoutez la moitié des oignons, de l'ail et des poivrons. Faites-les revenir 5 minutes jusqu'à ce qu'ils soient bien dorés. Ajoutez les tentacules, salez-les et poivrez-les, puis faites-les revenir à feu vif 3 minutes. Laissez tiédir.

- Remplissez les calmars de cette farce et fermez-les avec des petits piques en bois.

- Dans une cocotte, faites revenir dans l'huile le reste d'oignon, d'ail et de poivron ainsi que les tomates. Salez et poivrez. Ajoutez les calmars farcis et laissez cuire doucement jusqu'à ce que l'oignon soit bien doré. Mouillez avec le reste du vin et poursuivez la cuisson à feu doux pendant 10 minutes.

- Sortez les calmars de la cocotte à l'aide d'une écumoire et retirez les piques. Déposez les calmars dans une casserole. Versez l'encre dans la cocotte et mélangez avec la sauce au vin.

- Avec une passoire fine, filtrez la sauce à l'encre dans la casserole contenant les calmars. Laissez cuire à feu doux environ 15 minutes, jusqu'à obtenir une sauce onctueuse. Rectifiez l'assaisonnement. Servez aussitôt avec du riz nature.

800 g d'anneaux de calmar
frais ou surgelés

2 poivrons rouges

2 cuill. à soupe d'huile d'olive

1 cuill. à soupe de concentré
de tomate

le zeste et le jus de 1 citron

1 gousse d'ail

1 pincée de piment de Cayenne

2 cuill. à soupe de persil plat
ciselé

sel et poivre du moulin

Calmars à la calabraise

- Rincez les anneaux de calmar et épongez-les avec du papier absorbant.

- Préchauffez le gril du four.

- Posez les poivrons sur la grille du four. Laissez-les griller en les retournant de temps en temps jusqu'à ce que la peau brunisse. Sortez-les du four, laissez refroidir puis retirez la peau. Coupez-les en deux, enlevez la queue, les graines et les filaments blancs. Détaillez les poivrons en lanières dans la longueur.

- Faites chauffer l'huile d'olive à feu doux dans une cocotte, ajoutez les poivrons et faites-les fondre doucement pendant 10 minutes. Ajoutez le concentré de tomate, le zeste et le jus de citron, l'ail, le cayenne puis les anneaux de calmar, et remuez délicatement. Augmentez légèrement le feu et laissez cuire encore 10 minutes.

- Servez immédiatement, saupoudré de persil haché et accompagné de riz blanc.

POUR 6 PERSONNES

Préparation : 40 min
Cuisson : 1 h 15 environ

100 g de riz long

1 kg de calmars

1 oignon

10 cl d'huile d'olive

1 petit bouquet de persil

15 cl de jus de tomate

4 cuill. à soupe de raisins
de Corinthe

4 cuill. à soupe de pignons
de pin

1 pincée de cannelle en poudre

15 cl de vin blanc sec

sel et poivre du moulin

Calmars farcis aux fruits secs

- Faites cuire le riz 15 minutes, puis égouttez-le.

- Nettoyez les calmars : séparez les têtes des corps, jetez les têtes, réservez les poches d'encre. Videz les tubes des calmars, rincez-les en retirant la fine membrane extérieure. Ôtez les nageoires. Coupez les tentacules et hachez-les finement.

- Préchauffez le four à 200 °C (therm. 6-7).

- Pelez et hachez l'oignon. Faites chauffer 5 cl d'huile d'olive dans une sauteuse. Faites-y blondir l'oignon à feu très doux. Ajoutez les tentacules et prolongez la cuisson 5 minutes en remuant.

- Lavez et hachez le persil. Jetez le riz en pluie dans la sauteuse. Arrosez du jus de tomate. Ajoutez les raisins secs et les pignons. Salez, poivrez et saupoudrez de cannelle. Mélangez et poursuivez la cuisson 15 minutes à feu doux. Surveillez la cuisson et allongez si nécessaire d'un peu d'eau chaude. Retirez du feu et laissez tiédir.

- Farcissez les calmars de ce mélange. Disposez-les dans un plat allant au four. Arrosez-les avec le vin et le reste d'huile.

- Enfournez et laissez cuire 30 minutes environ. Vérifiez la cuisson et prolongez-la éventuellement jusqu'à ce que les calmars soient bien tendres.

Pour que les calmars ne se vident pas de leur farce pendant la cuisson, cousez les ouvertures avec du gros fil.

9

POUR 4 À 6 PERSONNES

Préparation : 15 min
Cuisson : 25 min

1 kg de supions
(petits calmars)

1 bouquet de persil

4 gousses d'ail

huile pour la friture

4 ou 5 cuill. à soupe de farine

sel et poivre du moulin

supions frits à la marseillaise

- Nettoyez les calmars : séparez les têtes des corps, jetez les têtes, réservez les poches d'encre. Videz les tubes des calmars, rincez-les en retirant la fine membrane extérieure. Ôtez les nageoires. Coupez les tentacules.

- Effeuillez le persil, épluchez l'ail. Hachez l'un et l'autre et mélangez-les dans un bol.

- Faites chauffer l'huile de friture. Passez les supions dans la farine, secouez-les pour enlever l'excédent, puis plongez-les en deux ou trois fois dans la friture, pendant 7 ou 8 minutes, afin qu'ils cuisent bien. S'ils sont très petits, 5 minutes suffisent. Ils doivent être bien croustillants.

- Égouttez les supions sur du papier absorbant. Salez et parsemez de persillade.

Le calmar peut être appelé encornet, supion en Provence ou encore chipiron sur la côte basque.

POUR 4 À 6 PERSONNES

Préparation : 10 min
Marinade : 30 min
Cuisson : 6 min

12 à 18 petites cigales de mer

2 gousses d'ail

2 citrons

1 brin de thym

15 cl d'huile d'olive

2 pincées de safran
(20 g de pistils)

2 cuill. à soupe de persil plat
ciselé

sel et poivre du moulin

Cigales de mer au safran en brochettes

- Rincez les cigales de mer et épongez-les. Faites une entaille de 3 cm sur le dos de chaque carapace.
- Pelez les gousses d'ail et hachez-les finement. Pressez les citrons et récupérez le jus. Effeuillez le thym.
- Dans un saladier, mélangez l'huile d'olive, le jus des citrons, le safran, l'ail, le persil, le thym, du sel et du poivre. Ajoutez les cigales et faites-les mariner pendant 30 minutes.
- Préchauffez le gril du four ou préparez le barbecue de façon à avoir de bonnes braises.
- Enfilez les crustacés sur des longues brochettes en bois en rentrant la brochette par l'anus et en la sortant par la bouche. Faites-les griller sur une plaque légèrement huilée sous le gril du four ou au barbecue 3 minutes de chaque côté.
- Servez aussitôt avec des légumes grillés.

Crustacé des fonds rocheux, proche de la langouste, la cigale de mer possède deux paires d'antennes dont une en forme de palette.

POUR 4 PERSONNES

Trempage : 2 h
Préparation : 20 min
Cuisson : 20 min

2 kg de coques

2 grosses échalotes
ou 4 petites

1 gousse d'ail

40 g de beurre

15 cl de vin blanc sec

8 œufs

1 cuill. à soupe de persil plat
ciselé

gros sel

poivre du moulin

Omelette aux coques

- Mettez les coques à tremper dans de l'eau salée (100 g de gros sel de mer par litre) pendant 2 heures afin d'éliminer tout le sable. Rincez-les ensuite dans plusieurs eaux jusqu'à ce que la dernière soit claire. Égouttez-les.

- Pelez les échalotes et l'ail et émincez-les finement. Faites-les fondre 2 minutes avec 5 g de beurre dans une grande casserole jusqu'à ce qu'ils soient transparents. Mouillez avec le vin et poivrez. Faites cuire à feu doux pendant 10 minutes.

- Dans une casserole, faites ouvrir les coques à feu vif à couvert en secouant souvent le récipient et en remuant une ou deux fois. Lorsqu'elles sont juste ouvertes, sortez-les à l'aide d'une écumoire et décoquillez-les. Filtrez le jus de cuisson des coques avec une passoire fine dans une casserole plus petite.

- Cassez les œufs dans un saladier, battez-les, poivrez. Versez 2 cuillerées à soupe du jus de cuisson des coques et fouettez à nouveau. Ajoutez la chair des coquillages et mélangez.

- Dans une grande poêle, faites fondre le reste de beurre et, dès qu'il commence à mousser, versez la préparation. Inclinez la poêle dans tous les sens afin d'étaler le mélange. Faites cuire à feu vif quelques instants. Lorsque le bord de l'omelette commence à prendre, ramenez-le vers le centre de la poêle à l'aide d'une fourchette. Baissez le feu et renouvelez plusieurs fois ce mouvement. Laissez cuire environ 4 minutes.

- Glissez l'omelette dans un plat chaud, parsemez de persil ciselé et servez aussitôt.

POUR 4 PERSONNES

Trempage : 2 h
Préparation : 20 min
Cuisson : 15 min environ

2 kg de coques

3 échalotes

60 g de beurre

20 cl de vin blanc sec

20 cl de court-bouillon
(frais ou préparé avec une base
de produit déshydraté)

2 cuill. à soupe de fines herbes
ciselées (estragon, persil,
ciboulette)

sel et poivre du moulin

Marinière de coques aux fines herbes

- Mettez les coques à tremper dans de l'eau salée (100 g de gros sel de mer par litre) pendant 2 heures afin d'éliminer tout le sable. Rincez-les ensuite dans plusieurs eaux jusqu'à ce que la dernière soit claire. Égouttez-les.

- Pelez et émincez finement les échalotes.

- Dans un faitout, faites fondre les échalotes à feu très doux avec 10 g de beurre jusqu'à ce qu'elles soient transparentes. Versez le vin et le court-bouillon. Portez à ébullition et laissez cuire 5 minutes à petits frémissements.

- Jetez les coques dans le liquide bouillant, couvrez et faites-les ouvrir à feu vif en secouant souvent le récipient. Dès qu'elles sont ouvertes, retirez le faitout du feu. Sortez les coques à l'aide d'une écumoire, mettez-les dans un plat creux et maintenez au chaud.

- Remettez le faitout à feu vif et faites réduire le liquide de cuisson d'environ un tiers. Hors du feu, incorporez en fouettant le reste de beurre fractionné en petits morceaux. Rectifiez l'assaisonnement si nécessaire puis ajoutez les fines herbes. Versez le tout sur les coques.

Pour maintenir le plat de coques au chaud pendant la préparation de la sauce, recouvrez-le d'une feuille d'aluminium et placez-le sur une casserole d'eau frémissante : vous éviterez ainsi que les coquillages ne sèchent, comme ce serait le cas dans le four.

2 kg de coques

500 g de petits pois frais
ou surgelés

2 cuill. à soupe de vinaigre

2 pincées de sel

3 cuill. à soupe d'huile

2 cuill. à soupe de fines herbes

sel et poivre du moulin

salade de coques aux petits pois

- Mettez les coques à tremper dans de l'eau salée (100 g de gros sel de mer par litre) pendant 2 heures afin d'éliminer tout le sable. Rincez-les ensuite dans plusieurs eaux jusqu'à ce que la dernière soit claire. Égouttez-les.

- Écossez les petits pois (ou faites-les décongeler s'il s'agit de produits surgelés). Faites-les cuire pendant 10 à 15 minutes dans de l'eau salée.

- Préparez la vinaigrette. Dans un bol, mélangez d'abord le vinaigre et le sel jusqu'à ce que le sel soit dissous. Ajoutez l'huile et le tour de moulin à poivre puis les fines herbes.

- Dans une casserole, faites ouvrir les coques à feu vif à couvert en secouant souvent le récipient et en remuant une ou deux fois. Lorsqu'elles sont juste ouvertes, sortez-les à l'aide d'une écumoire et décoquillez-les.

- Dans un saladier, mélangez les coques avec les petits pois et la vinaigrette.

- Servez tiède.

Vous pouvez remplacer les petits pois par la même quantité de fèves pelées, fraîches ou surgelées.

POUR 4 PERSONNES

Préparation : 20 min
Marinade : 1 h

12 à 16 noix de saint-jacques
très fraîches

4 fruits de la Passion

1 petit morceau de piment
rouge

1 cuill. à soupe d'huile
de pépins de raisin

le jus de 1 citron vert

sel et poivre du moulin

Carpaccio de saint-jacques aux fruits de la Passion

- Rincez les noix de saint-jacques puis essuyez-les avec du papier absorbant. Mettez-les 10 minutes au congélateur pour les raffermir.

- Coupez les fruits de la Passion en deux. Prélevez les graines juteuses avec une petite cuillère et mettez-les dans une passoire au-dessus d'un bol. Pressez bien avec le dos de la cuillère pour récupérer le maximum de jus. Hachez le morceau de piment aussi finement que possible.

- Émincez les saint-jacques refroidies en fines rondelles dans l'épaisseur. Disposez-les au fur et à mesure sur un plat ou sur quatre assiettes très froides.

- Ajoutez l'huile, le piment et le jus de citron au jus des fruits de la Passion. Salez et poivrez, fouettez à la fourchette pour obtenir une émulsion, puis nappez les noix de cette sauce. Laissez mariner 1 heure au réfrigérateur.

- Servez très frais, en entrée.

Coquilles saint-Jacques sautées au concombre

12 à 16 noix de saint-jacques
avec le corail (selon la taille)

3 cuill. à soupe de farine

1 cuill. à café de curry doux
en poudre

1 concombre

20 g de beurre

1 cuill. à soupe d'huile
de tournesol

quelques brins de ciboulette
pour le décor

sel et poivre du moulin

- Rincez les noix de saint-jacques puis essuyez-les soigneusement avec du papier absorbant.

- Mélangez la farine, le curry et un peu de sel dans un bol, remuez jusqu'à ce que l'ensemble soit bien homogène, puis étalez cette préparation dans une petite assiette.

- Épluchez le concombre, coupez-le en cubes et faites-le revenir à feu doux avec le beurre, jusqu'à ce qu'il soit tendre sans s'écraser. Salez et poivrez.

- Enduisez d'huile une poêle à revêtement antiadhésif et mettez-la à feu moyen. Passez les noix de saint-jacques l'une après l'autre dans la farine, des deux côtés, en appuyant légèrement pour bien les enrober. Faites-les revenir 1 min 30 à 2 minutes de chaque côté.

- Servez les noix de saint-jacques sur des assiettes chaudes, entourées de concombre. Donnez quelques tours de moulin à poivre et décorez de brins de ciboulette.

2 ou 3 poignées d'algues
(varech) à demander au
poissonnier

18 noix de saint-jacques

20 g de beurre

poivre blanc du moulin

Coquilles saint-Jacques à la vapeur d'algues

- Préchauffez le four à 220 °C (therm. 7-8).
- Lavez les algues très soigneusement. Découpez six carrés de feuille d'aluminium.
- Répartissez les algues sur chaque carré et posez dessus les noix de saint-jacques. Poivrez légèrement. Ajoutez le beurre en parcelles.
- Refermez les papillotes. Posez-les sur la plaque du four et faites-les cuire pendant 10 minutes.
- Sortez les papillotes du four. Ouvrez-les et disposez les saint-jacques dans des assiettes chaudes.
- Arrosez-les avec le jus des papillotes. Poivrez et servez aussitôt.

POUR 4 À 6 PERSONNES

Préparation : 20 min
Cuisson : 8 à 10 min

12 à 18 noix de saint-jacques

1 oignon

30 cl de vin blanc sec

1 bouquet garni

1 gousse d'ail

2 cuill. à soupe d'huile d'olive

30 g de beurre

2 cuill. à soupe de persil plat haché

2 cuill. à soupe de chapelure

sel et poivre du moulin

Coquilles saint-Jacques à la provençale

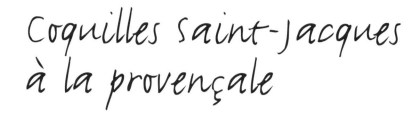

- Rincez les noix de saint-jacques et épongez-les.
- Épluchez et hachez l'oignon. Mettez-le dans une casserole avec les noix de saint-jacques, le vin, le bouquet garni, du sel et du poivre. Portez lentement à ébullition, puis réduisez le feu et laissez frémir 5 minutes.
- Retirez les noix, égouttez-les puis coupez-les en deux dans l'épaisseur.
- Hachez l'ail. Préchauffez le gril du four.
- Faites chauffer l'huile et le beurre dans un plat creux allant au four, ajoutez les moitiés de saint-jacques et saupoudrez d'ail, de persil et de chapelure.
- Glissez le plat dans le four et faites dorer. Servez aussitôt.

POUR 4 PERSONNES

Préparation : 15 min
Marinade : 1 h
Cuisson : 4 à 6 min

12 à 16 noix de saint-jacques
avec le corail (selon la taille)

1 morceau de poitrine de porc
fraîche (150 g)

le jus de 1 citron vert

1/2 cuill. à café de piment
d'Espelette en poudre

8 cuill. à soupe d'huile d'olive

poivre du moulin

Coquilles saint-Jacques au piment d'Espelette

- Rincez les noix de saint-jacques puis essuyez-les soigneusement avec du papier absorbant. Retirez la couenne de la poitrine de porc et coupez celle-ci en petites tranches de 3 ou 4 mm d'épaisseur.

- Enfilez les noix de saint-jacques sur quatre longues brochettes, en les alternant avec les tranches de poitrine de porc. Posez-les dans un plat creux rectangulaire.

- Mélangez le jus de citron, le piment d'Espelette et l'huile d'olive dans un bol. À l'aide d'un pinceau, badigeonnez largement les brochettes de cette marinade. Réservez le reste. Couvrez et laissez mariner 1 heure au réfrigérateur.

- Préchauffez le gril du four.

- Posez les brochettes sur une plaque antiadhésive et faites-les griller pendant 2 ou 3 minutes de chaque côté.

- Servez sur un plat chaud. Au dernier moment, badigeonnez les brochettes du reste d'huile d'olive et donnez quelques tours de moulin à poivre.

POUR 4 PERSONNES

Préparation : 10 min
Cuisson : 5 min environ

16 couteaux

3 cuill. à soupe de crème
fraîche

sel et poivre du moulin

Couteaux à la crème

- Préchauffez le four à 210 °C (therm. 7).
- Rincez plusieurs fois les couteaux à grande eau. Laissez reposer quelques instants sans remuer dans la dernière eau pour que tout le sable restant se dépose dans le fond du récipient.
- Sortez les couteaux à la main, égouttez-les soigneusement et rangez-les dans un plat à four. Donnez quelques tours de moulin à poivre et enfournez. Faites cuire pendant 4 ou 5 minutes, jusqu'à ce que les couteaux s'ouvrent.
- Pendant ce temps, versez la crème dans une petite casserole et amenez doucement à ébullition. Salez légèrement.
- Sortez le plat du four, nappez les couteaux de crème chaude et remettez à cuire 1 ou 2 minutes. Servez aussitôt.

Vous pouvez ajouter à la crème une cuillerée à soupe de moutarde.

POUR 4 PERSONNES

Préparation : 30 min
Cuisson : 15 min

2 tourteaux d'environ 600 g
(ou 2 boîtes de crabe de 170g
chacune, soit 120 g égoutté)

1 citron

2 petits avocats

2 cuill. à soupe de crème
épaisse

10 brins de ciboulette

1 petite courgette

1 tranche de saumon fumé
de 100 g environ

2 cuill. à soupe d'huile d'olive

1 cuill. à soupe de graines
de sésame

quelques brins d'aneth

sel et poivre du moulin

Fraîcheur de crabe à l'avocat et au saumon fumé

- Portez une grande quantité d'eau salée à ébullition dans une casserole. Plongez-y les tourteaux. Faites-les cuire pendant 15 minutes environ. Égouttez et laissez refroidir.

- Détachez les pattes et les pinces, puis décortiquez les tourteaux pour en extraire la chair. Coupez-la en petits morceaux ou hachez-la grossièrement au couteau.

- Pressez le citron. Pelez les avocats, coupez-les en deux, ôtez le noyau. Coupez la chair en morceaux et passez-la au mixeur avec la moitié du jus de citron et la crème. Salez, poivrez et ajoutez 2 brins de ciboulette ciselée.

- Lavez la courgette, séchez-la puis émincez-la très finement Arrosez du reste de jus de citron.

- Disposez un cercle à pâtisserie d'environ 9 cm de diamètre sur une assiette. Coupez le saumon fumé en lanières assez larges puis tapissez-en le fond du cercle. Recouvrez de purée d'avocat puis ajoutez une couche de chair de crabe. Terminez par l'émincé de courgette.

- Salez, poivrez, versez un filet d'huile d'olive puis parsemez de graines de sésame légèrement dorées à la poêle. Terminez par le reste de ciboulette et l'aneth ciselés. Mettez au réfrigérateur jusqu'au moment de servir.

- Retirez délicatement le cercle et servez frais, en entrée.

crabes en bouillon

1 gros oignon

4 tomates

2 gousses d'ail

4 à 6 crabes (selon la taille)

4 cuill. à soupe d'huile d'olive

1 grosse pincée de gingembre
en poudre

1 mesure de safran

1 pointe de piment de Cayenne

1 branche de thym

1,5 l de bouillon de poisson
ou de volaille
(frais ou préparé avec une
tablette de concentré)

sel et poivre du moulin

- Hachez l'oignon. Rincez les tomates, ébouillantez-les, pelez-les et concassez-les. Écrasez l'ail.

- Faites bouillir de l'eau salée dans un faitout et plongez-y les crabes pendant 3 minutes.

- Égouttez-les puis détachez pinces et pattes. Retirez le contenu de la carapace et mettez-le de côté.

- Concassez (avec un marteau ou un gros hachoir) la carapace vide et les pattes pleines.

- Faites-les revenir avec l'oignon dans 2 cuillerées à soupe d'huile.

- Ajoutez les tomates, le gingembre, le safran, le cayenne, l'ail et le thym. Mouillez largement de bouillon, puis couvrez et laissez mijoter tout doucement 2 heures environ.

- Retirez les morceaux de carapace et les pinces. Passez la cuisson au tamis ou dans une passoire fine en appuyant bien avec le dos d'une cuillère pour obtenir une sauce un peu consistante. Goûtez et rectifiez l'assaisonnement.

- Videz les pinces, coupez en quatre la chair retirée de la carapace et faites revenir le tout avec le reste de l'huile, dans une sauteuse. Versez la sauce dessus, portez de nouveau à ébullition et faites cuire 5 ou 6 minutes.

- Servez dans une soupière avec du riz à la créole, à part.

4 à 6 tourteaux

2 l de court-bouillon
(frais ou préparé avec une base
de produit déshydraté)

1 tasse de lait

1 bol de mie de pain rassis

6 échalotes

4 gousses d'ail

1 petit bouquet de persil

4 tranches de jambon

2 cuill. à soupe d'huile d'olive

1 pointe de piment de Cayenne

2 ou 3 jaunes d'œufs

2 ou 3 cuill. à soupe de
rhum blanc

30 g de beurre

2 ou 3 cuill. à soupe
de chapelure blonde

sel

Crabes farcis à la martiniquaise

- Nettoyez bien les tourteaux. Faites-les cuire au court-bouillon 15 minutes.

- Décortiquez entièrement les tourteaux, en préservant les carapaces puisqu'elles seront servies à table. Émiettez la chair.

- Préchauffez le four à 180 °C (therm. 6).

- Mélangez le lait et la mie de pain.

- Épluchez et hachez finement les échalotes et l'ail. Ciselez le persil. Hachez le jambon.

- Dans une poêle, chauffez l'huile et faites dorer les échalotes. Ajoutez le persil et l'ail, salez et remuez. Ajoutez la chair de crabe, le cayenne, la mie de pain pressée et le hachis de jambon. Mélangez bien et réchauffez. Goûtez et rectifiez l'assaisonnement : la farce doit être bien pimentée.

- Délayez les jaunes d'œufs avec le rhum et, hors du feu, incorporez le mélange à la farce chaude.

- Réchauffez encore un peu la farce puis répartissez-la dans les carapaces.

- Faites fondre le beurre. Parsemez les carapaces garnies de chapelure, arrosez de beurre fondu et faites gratiner doucement dans le four pendant 10 à 15 minutes. Servez aussitôt.

POUR 4 PERSONNES

Préparation : 30 min
Repos de la pâte : 1 h
Cuisson : 40 min environ

POUR LA PÂTE

170 g de farine

1 cuill. à café de curcuma

75 g de beurre mou

POUR LA GARNITURE

4 petites pommes
(gala ou reinette)

40 g de beurre

2 œufs entiers + 1 jaune

10 cl de crème liquide

1 cuill. à café de curcuma

1 boîte de crabe
(environ 120 g égoutté)

sel et poivre du moulin

Petites quiches au crabe et aux pommes

- Préparez la pâte. Versez la farine, le curcuma et 1 pincée de sel dans un saladier et mélangez. Incorporez le beurre coupé en dés, pétrissez en ajoutant un peu d'eau. Formez une boule, enveloppez-la dans un film alimentaire et laissez reposer 1 heure au réfrigérateur.

- Préparez la garniture. Épluchez les pommes, ôtez le cœur et les pépins. Coupez-les en lamelles assez épaisses. Faites chauffer le beurre dans une poêle. Mettez-y les lamelles de pomme, salez et poivrez. Laissez cuire 15 minutes environ à feu moyen en remuant souvent, jusqu'à ce que les pommes soient tendres.

- Battez à la fourchette les œufs entiers, le jaune et la crème. Ajoutez les lamelles de pomme et le curcuma. Mélangez, salez et poivrez.

- Préchauffez le four à 180 °C (therm. 6).

- Étalez la pâte brisée et garnissez-en quatre moules de 13 cm de diamètre environ, préalablement beurrés. Piquez la pâte avec une fourchette. Disposez la chair de crabe émiettée sur la pâte puis versez la préparation aux pommes. Enfournez pour 20 à 25 minutes environ. Servez tiède.

Vous pouvez préparer ces quiches avec une pâte brisée préétalée.

3 pommes (type reinette,
belle de Boskoop, golden)

1 concombre

1 oignon

30 g de beurre

1 cuill. à café de curcuma
ou de cumin en poudre

10 cl de lait de coco

400 g de crevettes cuites
décortiquées

sel et poivre du moulin

Poêlée de crevettes au concombre

- Pelez les pommes et le concombre et détaillez-les en dés. Épluchez l'oignon et émincez-le.

- Mettez le beurre à fondre dans une poêle et faites suer l'oignon. Ajoutez les dés de pomme et de concombre, puis le curcuma. Salez et poivrez. Laissez cuire à feu moyen pendant 5 minutes en remuant de temps en temps.

- Versez le lait de coco et ajoutez les crevettes. Baissez le feu puis laissez mijoter 10 minutes.

- Servez cette poêlée épicée avec un simple riz blanc.

POUR 4 PERSONNES

Trempage : 1 h
Préparation : 30 min
Cuisson : 6 min

15 g de champignons noirs
déshydratés

800 g de grosses crevettes
(ou de gambas) fraîches ou
surgelées

1 gousse d'ail

1 petit bouquet de citronnelle

3 cuill. à soupe d'huile

1 pincée de piment en poudre

sel et poivre du moulin

Crevettes
à la citronnelle

- Mettez les champignons dans un petit saladier, recouvrez-les largement d'eau bouillante et laissez-les tremper pendant 1 heure pour les réhydrater.

- Si vous utilisez des crevettes surgelées, laissez-les décongeler à température ambiante. Si vous utilisez des crevettes fraîches, décortiquez-les en ne conservant que la queue. Égouttez les champignons et coupez-les en lamelles.

- Pelez et hachez finement la gousse d'ail. Rincez la citronnelle à l'eau fraîche, épongez-la bien avec du papier absorbant. Coupez les tiges, mettez-en quelques-unes de côté pour le décor et hachez finement les autres.

- Faites chauffer l'huile dans une poêle à feu vif, ajoutez les crevettes et faites-les cuire pendant 4 minutes environ en les remuant plusieurs fois. Salez, poivrez, pimentez, puis ajoutez l'ail, la citronnelle et les champignons. Mélangez bien. Poursuivez la cuisson à feu modéré pendant encore 2 minutes pour que tout soit bien chaud. Versez le contenu de la poêle dans le plat de service préalablement chauffé et décorez avec les tiges de citronnelle.

Préparation : 20 min
Cuisson : 40 à 45 min

200 g de riz basmati

120 g de lentilles (jaunes ou brunes)

1 gros oignon

2 bâtons de cannelle

3 clous de girofle

5 graines de cardamome

poivre blanc en poudre

curcuma en poudre

16 crevettes bouquets crues

3 cuill. à soupe d'huile d'olive

1/2 bouquet de persil plat

sel

Crevettes au riz et aux épices

- Rincez le riz et les lentilles. Pelez et hachez l'oignon.

- Mettez dans une cocotte l'oignon haché, la cannelle, les clous de girofle, la cardamome, 1 cuillerée à café de poivre, 1 pincée de curcuma, les bouquets et 2 cuillerées à soupe d'eau bouillante. Faites cuire 10 minutes sur feu modéré, à couvert.

- Ajoutez 30 cl d'eau bouillante. Salez, laissez cuire encore 10 minutes. Retirez les bouquets. Décortiquez-les et réservez-les. Filtrez le bouillon.

- Dans une casserole, faites revenir 2 ou 3 minutes le riz et les lentilles avec 2 cuillerées à soupe d'huile, puis versez le bouillon. Ajoutez 8 bouquets. Couvrez et faites cuire à feu doux jusqu'à ce que le bouillon soit absorbé : cela prendra 20 minutes environ. Si nécessaire, ajoutez un peu d'eau bouillante et prolongez la cuisson.

- Lavez et hachez le persil. Dans une poêle, faites revenir les bouquets restants avec 1 cuillerée à soupe d'huile, 1 pincée de poivre blanc, 2 pincées de curcuma et le persil haché.

- Servez le riz chaud avec les bouquets sautés.

Préparation : 10 min
Cuisson : 15 à 20 min

16 crevettes bouquets crues

3 cuill. à soupe de beurre
clarifié (ou d'huile)

20 cl de lait de coco

sel et poivre du moulin

Crevettes au lait de coco

- Décortiquez les crevettes. Rincez-les et épongez-les avec du papier absorbant.

- Faites fondre le beurre dans une poêle. Mettez-y les crevettes et faites-les revenir pendant 2 ou 3 minutes en remuant jusqu'à ce qu'elles soient bien dorées.

- Mouillez les crevettes avec le lait de coco. Salez, poivrez et remuez. Baissez le feu et prolongez la cuisson à feu doux pendant 10 à 15 minutes.

- Versez le tout dans un plat creux et servez chaud, accompagné de riz basmati.

Vous pouvez ajouter dans la poêle une demi-cuillerée à café de curry en début de cuisson et parsemer les crevettes de coriandre ciselée. Si vous utilisez des crevettes cuites, réduisez de moitié le temps de cuisson.

Crevettes en brochettes

16 grosses crevettes crues

2 citrons verts

1 petit bouquet de coriandre
fraîche

2 gousses d'ail

1 piment fort

1 cuill. à soupe de sucre
en poudre

1 cuill. à café de sauce chili

sel

- Préchauffez le gril du four ou le barbecue.

- Lavez les crevettes et épongez-les. Pressez les citrons et réservez le jus. Lavez et ciselez la coriandre.

- Pelez l'ail. Lavez le piment. Fendez-le en deux. Ôtez le pédoncule et les graines. Hachez la chair. Pilez l'ail et le piment jusqu'à obtenir une pâte homogène.

- Mélangez le sucre et 1 cuillerée à café bombée de sel dans un bol. Mouillez de 2 cuillerées à soupe d'eau chaude et remuez jusqu'à totale dissolution du sucre. Ajoutez à la pâte pimentée et remuez.

- Arrosez du jus des citrons et de la sauce chili. Mélangez de nouveau et parsemez de coriandre.

- Enfilez les crevettes sur quatre longues brochettes en bois. Enfournez celles-ci ou posez-les sur la grille du barbecue. Faites-les cuire 10 minutes en les retournant.

- Répartissez la sauce entre quatre coupelles. Servez.

POUR 4 PERSONNES

Préparation : 30 min
Cuisson : 10 min

50 cl de lait

30 g de beurre

100 g de farine tamisée

1 œuf

150 g de fromage râpé

150 g de crevettes grises
cuites et décortiquées

chapelure

1 citron

persil

huile de friture

sel et poivre du moulin

Croquettes de crevettes

- Mettez le lait à température ambiante.

- Préparez une béchamel. Faites fondre le beurre à feu doux. Incorporez-y peu à peu la farine en mélangeant à l'aide d'une cuillère en bois. Versez lentement le lait en remuant constamment, afin d'obtenir une sauce épaisse et bien liée.

- Cassez l'œuf en séparant le jaune du blanc. Mettez le jaune dans un saladier, salez, poivrez, ajoutez le fromage râpé et les crevettes. Mélangez et incorporez à la béchamel. Laissez refroidir.

- Formez des croquettes de 7 cm de long et 3 cm de diamètre.

- Dans une assiette, battez le blanc d'œuf. Dans une autre assiette, versez un peu de chapelure. Passez successivement les croquettes dans l'œuf puis dans la chapelure de façon qu'elles soient entièrement enrobées.

- Faites chauffer l'huile de friture et plongez-y les croquettes 2 ou 3 minutes jusqu'à ce qu'elles soient bien dorées. Épongez-les avec du papier absorbant.

- Pour servir, déposez les croquettes sur quelques feuilles de laitue et décorez de quartiers de citron et de persil.

Accompagnez éventuellement ce plat d'une mayonnaise ou d'une sauce tartare aux câpres.

POUR 4 PERSONNES

Préparation : 25 min
Cuisson : 20 min environ

1 kg de bulbes de fenouil

1 poivron rouge

4 grosses tomates

1 cuill. à soupe d'huile d'olive

16 grosses gambas crues

4 branches d'aneth

4 brins de ciboulette

sel et poivre du moulin

Vapeur de gamba à la fondue de fenouil

- Épluchez et lavez les bulbes de fenouil, puis coupez-les en lanières.
- Faites-les cuire 10 minutes à la vapeur.
- Lavez le poivron, coupez-le en deux. Ôtez les graines et les filaments blanchâtres, puis détaillez la chair en petits cubes. Rincez les tomates, ébouillantez-les, pelez-les, épépinez-les et détaillez la chair en petits cubes.
- Faites chauffer l'huile dans une poêle à revêtement antiadhésif, ajoutez le fenouil, les tomates et le poivron. Laissez mijoter pendant 5 minutes. Salez et poivrez.
- Décortiquez les gambas. Faites-les cuire à la vapeur pendant 5 minutes avec les branches d'aneth. Salez et poivrez.
- Lavez la ciboulette et ciselez-la. Répartissez les légumes en lit dans les assiettes, disposez dessus les gambas en étoile et décorez de ciboulette.

POUR 4 PERSONNES

**Préparation : 10 min
Cuisson : 15 min environ**

24 gambas crues

2 échalotes

60 g de beurre

15 cl de vin blanc sec

30 cl de crème fraîche

1 cuill. à soupe de persil plat
ciselé

sel et poivre du moulin

Gambas aux échalotes et au vin blanc

- Rincez les gambas et égouttez-les.
- Pelez les échalotes et émincez-les finement.
- Dans une sauteuse, faites fondre le beurre, ajoutez les gambas et faites-les revenir à feu vif pendant 2 ou 3 minutes jusqu'à ce que les carapaces rougissent.
- Jetez le beurre de cuisson. Détachez les têtes et décortiquez les queues des gambas. Gardez les queues au chaud.
- Dans un mortier, pilez les têtes et les carapaces de gambas. Versez ce mélange dans la sauteuse, remettez sur le feu, remuez à feu doux puis ajoutez les échalotes. Faites-les cuire 5 ou 6 minutes.
- Mouillez avec le vin et faites cuire pendant 4 minutes. Versez la crème, portez à ébullition et faites cuire encore 3 ou 4 minutes. Salez et poivrez.
- Filtrez la sauce avec une passoire fine et versez-la dans le plat sur les queues de gambas. Parsemez de persil et servez aussitôt.

POUR 8 PERSONNES

Préparation : 30 min
Macération : 20 min
Cuisson : 25 min

8 citrons verts

2 kg de gambas crues

1 kg de tomates

4 oignons

1 morceau de gingembre frais
de 2 cm

1 petit piment

4 cuill. à soupe d'huile d'olive

10 cl de rhum vieux

1 cuill. à soupe de concentré
de tomate

1 brin de thym

1 feuille de laurier

4 gousses d'ail

quelques tiges vertes
d'oignons nouveaux

10 brins de persil plat

sel et poivre du moulin

Gambas à l'antillaise

- Pressez les citrons. Lavez les gambas, égouttez-les. Disposez-les dans un plat, arrosez-les de jus de citron et laissez-les macérer 20 minutes en les retournant.

- Pelez les tomates après les avoir plongées quelques instants dans de l'eau bouillante, épépinez-les et concassez-les. Pelez et émincez les oignons. Pelez le gingembre, coupez-le en lamelles. Lavez le piment, fendez-le en deux, ôtez le pédoncule et les graines. Coupez la chair en morceaux.

- Dans une cocotte, faites chauffer l'huile avec le gingembre. Ajoutez les oignons et les gambas. Faites revenir pendant 5 minutes.

- Faites chauffer le rhum dans une petite casserole. Versez-le dans la cocotte et flambez.

- Diluez le concentré de tomate dans 2 cuillerées à soupe d'eau. Mélangez-le avec les tomates, le thym, le piment et le laurier. Salez et poivrez. Ajoutez la préparation dans la cocotte. Couvrez et laissez mijoter 20 minutes.

- Pelez et écrasez l'ail. Hachez les tiges d'oignons nouveaux. Lavez et équeutez le persil, hachez-le.

- Disposez ce ragoût dans un grand plat de service creux et chaud. Parsemez d'ail, d'oignon et de persil. Servez.

12 gambas crues
1 cuill. à soupe d'huile d'olive
1 pincée de gros sel de mer
poivre du moulin

Gambas « a la plancha »

- Rincez les gambas et épongez-les avec du papier absorbant.
- Faites chauffer l'huile dans une poêle, parsemez de gros sel, poivrez, ajoutez les gambas et faites-les cuire à feu vif 1 minute de chaque côté.
- Servez aussitôt.

En Espagne, la cuisson « a la plancha » consiste à faire cuire un aliment à feu vif sur une simple plaque métallique.

12 gambas crues

12 petites tranches de bacon
(ou de poitrine fumée
coupée très fin)

huile d'olive de friture

poivre du moulin

POUR LA SAUCE AÏOLI

8 gousses d'ail

2 jaunes d'œufs

25 cl d'huile d'olive

sel et poivre du moulin

Brochettes de gambas au bacon

- Préparez la sauce aïoli. Pressez les gousses d'ail. Écrasez-les finement au pilon dans un mortier ou au presse-ail. Mettez-les dans un bol et salez. Ajoutez les jaunes d'œufs et mélangez pendant 2 minutes. Poivrez. Laissez reposer 5 minutes. Versez l'huile en un mince filet comme pour monter une mayonnaise. Gardez au frais.

- Faites chauffer l'huile de friture pour qu'elle atteigne environ 180 °C.

- Rincez les gambas à l'eau fraîche.

- Décortiquez les gambas en ne gardant que le bout de la queue (ne retirez pas la tête). Poivrez-les et roulez-les dans une tranche de bacon. Fixez le bacon à l'aide de piques en bois.

- Plongez les gambas en plusieurs fois dans l'huile bien chaude et faites-les frire. Lorsque le bacon est bien croustillant, sortez-les à l'aide d'une écumoire et égouttez-les sur du papier absorbant.

- Servez aussitôt dans un plat chaud avec la sauce aïoli à part, en saucière.

2 homards de 800 g chacun environ

80 g de beurre

2 tiges d'estragon

sel et poivre du moulin

Homards au four à l'estragon

- Posez les homards vivants l'un après l'autre sur une planche. Tenez fermement la base de la tête et, à l'aide d'un couteau très pointu, coupez-les en deux dans la longueur, en laissant les parties crémeuses et le corail dans le coffre.

- Préchauffez le four à 240 °C (therm. 8).

- Faites chauffer la moitié du beurre dans une grande poêle à feu moyen. Posez les demi-homards côté chair et laissez-les cuire 10 minutes environ, jusqu'à ce que la carapace rougisse.

- Retirez la poêle du feu, sortez les demi-homards et rangez-les sur la plaque du four ou dans un plat à four en les posant cette fois sur la carapace. Répartissez l'estragon sur les homards, salez, poivrez et arrosez avec le jus de cuisson de la poêle. Disposez le reste de beurre coupé en petits morceaux sur les homards et enfournez. Laissez cuire 10 minutes.

- Sortez les homards du four, posez-les sur une planche et brisez légèrement les grosses pinces avec un petit marteau ou un maillet en bois, sans les écraser. Disposez-les au fur et à mesure sur le plat de service chaud et arrosez avec le jus de cuisson.

- Servez sans attendre avec des petits légumes (carottes, poireaux) cuits au beurre.

POUR 4 PERSONNES

Préparation : 15 min
Cuisson : 15 min environ

2 l de court-bouillon
(frais ou préparé avec une
base de produit déshydraté)

2 homards de 800 g chacun

3 cuill. à soupe de crème
fraîche

1 jaune d'œuf

1 cuill. à soupe de paprika
en poudre

1 cuill. à café de xérès

1 feuille de basilic

1 cuill. à soupe d'huile d'olive

sel et poivre du moulin

Homards à la crème de paprika

- Si vous n'utilisez pas un produit déshydraté, préparez d'abord le court-bouillon et laissez-le refroidir.

- Portez le court-bouillon à ébullition dans une grande marmite. Plongez-y les homards et faites-les cuire 3 minutes. Sortez-les à l'aide d'une écumoire. Laissez tiédir.

- Préchauffez le four à 210 °C (therm. 7).

- Fendez les homards en deux dans le sens de la longueur. Retirez la poche à gravier placée dans la tête ainsi que le corail. Retirez le boyau noir le long de la queue. Salez et poivrez.

- Mélangez le corail avec la crème, le jaune d'œuf, le paprika, le xérès et la feuille de basilic hachée. Salez et poivrez. Mixez légèrement le tout. Goûtez et rectifiez l'assaisonnement.

- Faites chauffer l'huile dans une sauteuse à feu moyen. Posez les demi-homards côté chair et laissez-les cuire jusqu'à ce que la carapace rougisse. Sortez-les à l'aide d'une écumoire et mettez-les dans un plat allant au four en les posant cette fois sur la carapace. Brisez les grosses pinces.

- Nappez de sauce la chair des homards, enfournez et faites cuire pendant 10 minutes.

- Servez aussitôt avec une purée de haricots verts, par exemple.

Huîtres à la diable

12 huîtres creuses

25 g de beurre

1 cuill. à soupe de farine

2 cuill. à soupe de crème fraîche

noix muscade

mie de pain blanc rassis

paprika

sel et poivre blanc

- Ouvrez les huîtres au-dessus d'un saladier et retirez-les de leur coquille.
- Filtrez l'eau des huîtres dans une passoire tapissée de papier absorbant. Mettez sur feu moyen. Faites-y pocher les huîtres doucement pendant 3 minutes puis égouttez-les avec une écumoire. Gardez l'eau de cuisson.
- Préparez une béchamel. Dans une casserole, faites fondre 10 g de beurre à feu moyen. Ajoutez la farine, remuez puis versez l'eau de cuisson des huîtres et la crème. Mélangez et laissez cuire quelques instants sur feu doux. Salez, poivrez et râpez un peu de muscade.
- Faites fondre le reste de beurre dans une poêle et faites-y rissoler la mie de pain émiettée.
- Mélangez les huîtres pochées avec la béchamel.
- Garnissez les coquilles avec les huîtres en sauce, parsemez de mie de pain et saupoudrez de paprika. Ajoutez une parcelle de beurre.
- Rangez les coquilles sur la plaque du four en les calant avec des feuilles d'aluminium froissées. Passez dans le four à 200 °C (therm. 6-7) pendant 3 ou 4 minutes. Servez aussitôt.

POUR 4 PERSONNES

Préparation : 20 min

Cuisson : 7 min

24 huîtres creuses

15 cl de crème liquide

2 cuill. à soupe de ciboulette
finement ciselée

poivre du moulin

Huîtres chaudes en crème de ciboulette

- Ouvrez les huîtres en récupérant toute leur eau dans une casserole. Laissez les huîtres dans la partie creuse des coquilles. Coupez le pied loin de la coquille pour qu'il ne vienne pas avec la chair.

- Versez la crème dans une petite casserole et portez-la doucement à la limite de l'ébullition. Ajoutez la ciboulette, poivrez et mélangez bien.

- Préchauffez le four à 240 °C (therm. 8).

- Recouvrez un grand plat ou la plaque de gros sel (ou des feuilles d'aluminium froissées). Posez les huîtres dessus en les enfonçant légèrement pour bien les caler, puis nappez-les de crème à la ciboulette. Enfournez et faites cuire 7 minutes. Surveillez la cuisson : celle-ci ne doit pas être trop longue afin que les huîtres ne durcissent pas.

- Sortez les huîtres du four et servez aussitôt, dans le plat de cuisson ou sur des assiettes recouvertes de gros sel.

POUR 4 À 6 PERSONNES

Préparation : 20 à 30 min
Cuisson : 6 ou 7 min

Huîtres à la Boston

12 à 18 huîtres plates

50 g de chapelure

50 g de gruyère râpé

50 g de beurre

poivre blanc du moulin

- Préchauffez le four à 230 °C (therm. 7-8).

- Ouvrez les huîtres. Retirez délicatement la chair et égouttez-la dans une passoire.

- Lavez soigneusement toutes les coquilles. Dans le fond de chacune d'elles, donnez un tour de moulin à poivre blanc et mettez une bonne pincée de chapelure.

- Remettez les huîtres dans les coquilles. Saupoudrez-les de gruyère râpé et de chapelure et ajoutez une parcelle de beurre.

- Disposez-les dans un plat en les calant avec des feuilles d'aluminium froissées ou du gros sel. Faites-les gratiner pendant 6 ou 7 minutes.

soupe d'huîtres

75 cl de fumet de poisson
(frais ou préparé avec une
base de produit déshydraté)

18 huîtres

2 jaunes d'œufs

15 cl de crème fraîche

sel et poivre du moulin

- Préparez d'abord le fumet.

- Ouvrez les huîtres au-dessus d'un saladier pour récupérer leur eau et décoquillez-les. Mettez leur chair de côté.

- Filtrez l'eau des huîtres dans une casserole avec une passoire fine et ajoutez le fumet. Portez à la limite de l'ébullition puis laissez frémir pendant 10 minutes.

- Faites chauffer six assiettes creuses dans le four à 60 °C (therm. 2).

- Mélangez la crème et les jaunes d'œufs. Filtrez le liquide de cuisson dans une autre casserole et réchauffez pour atteindre de nouveau l'ébullition. Hors du feu, ajoutez le mélange de crème et de jaunes d'œufs. Remettez sur le feu et faites épaissir sans cesser de remuer, en veillant à ne plus faire bouillir. Goûtez et rectifiez l'assaisonnement.

- Disposez 3 huîtres dans chaque assiette chaude, versez la soupe dessus et servez aussitôt.

Accompagnez cette soupe d'huîtres de tranches de pain et de beurre.

Préparation : 15 min
Cuisson : 10 min environ

10 échalotes grises
1 petit bouquet de ciboulette
3 œufs
3 douzaines d'huîtres
1 pincée de piment de Cayenne
2 brins d'estragon

POUR LA VINAIGRETTE
2 cuill. à soupe de jus de citron
5 cuill. à soupe d'huile d'olive
sel et poivre du moulin

Huîtres en vinaigrette aux fines herbes

- Hachez les échalotes et la ciboulette. Faites durcir les œufs, passez-les sous l'eau froide, écalez-les. Hachez finement les blancs et les jaunes, séparément.

- Préparez la vinaigrette. Dans un bol, mélangez d'abord le jus de citron et du sel jusqu'à ce que le sel soit dissous. Ajoutez l'huile et un tour de moulin à poivre.

- Ouvrez les huîtres et détachez-les de leur coquille. Disposez les huîtres sur un lit fait d'échalotes, de ciboulette et de blancs d'œufs durs hachés. Avec les jaunes, formez une mince bordure autour de chaque huître. Arrosez avec la vinaigrette et saupoudrez de cayenne. Décorez avec les feuilles d'estragon.

POUR 4 PERSONNES

Préparation : 15 min
Cuisson : 45 min

1 bouquet garni

2 belles langoustes vivantes

POUR LA SAUCE

2 oignons

1 carotte

3 cuill. à soupe d'huile

15 g de farine

20 cl de xérès sec

25 cl de bouillon de bœuf
(frais ou préparé avec une
tablette de concentré)

1 tomate

1 gousse d'ail

1 bouquet de persil

sel et poivre du moulin

Langouste à la chilienne

- Remplissez un faitout d'eau aux trois quarts. Ajoutez le bouquet garni, salez, poivrez. Portez à ébullition.

- Plongez-y les langoustes et faites-les cuire à gros bouillons 20 minutes. Égouttez-les et laissez-les refroidir. Décortiquez-les et coupez les queues en tronçons réguliers.

- Préparez la sauce. Pelez et hachez 1 oignon. Grattez, lavez et râpez la carotte. Dans une casserole, faites revenir l'oignon et la carotte dans 1 cuillerée à soupe d'huile pendant 2 minutes en remuant. Poudrez de farine et poursuivez la cuisson 2 ou 3 minutes. Arrosez avec 10 cl de xérès et tout le bouillon. Portez à ébullition. Filtrez la sauce obtenue et réservez-la.

- Rincez la tomate, ébouillantez-la, pelez-la, épépinez-la et concassez-la. Pelez et hachez l'ail et le second oignon. Lavez puis hachez finement le persil.

- Faites chauffer 2 cuillerées à soupe d'huile dans une sauteuse. Faites-y revenir l'oignon puis ajoutez l'ail et la tomate. Mouillez avec 10 cl de xérès. Versez dans la sauteuse la sauce que vous aviez réservée. Goûtez et rectifiez l'assaisonnement si nécessaire. Prolongez la cuisson pendant environ 15 minutes.

- Ajoutez les tronçons de langouste et poursuivez la cuisson pendant 5 minutes.

- Disposez dans un plat de service chaud, parsemez de persil haché et servez.

500 g de pâte feuilletée préétalée (2 rouleaux de pâte à dérouler)

1 œuf

12 asperges vertes

2 queues de langouste

60 g de beurre

10 cl de vin blanc sec

2 échalotes hachées

1 cuill. à soupe de farine

10 cl de crème liquide

1 cuill. à café de concentré de tomate

4 cuill. à soupe de basilic ciselé

sel et poivre du moulin

Langouste en mille-feuille

- Détaillez dans la pâte dix-huit disques et superposez ceux-ci par trois dans six emporte-pièces. Badigeonnez le dessus d'œuf battu et mettez-les au réfrigérateur environ 15 minutes.

- Préchauffez le four à 200 °C (therm. 6-7). Coupez la base des asperges et grattez-les si nécessaire.

- Portez deux grandes casseroles d'eau salée à ébullition. Dans l'une, faites cuire les queues de langouste pendant 10 minutes, dans l'autre, les asperges pendant 8 minutes. Égouttez.

- Sortez les emporte-pièces du réfrigérateur et enfournez-les pour 30 minutes environ.

- Décortiquez les queues de langouste et déposez les morceaux de carapace dans une sauteuse avec la moitié du beurre. Faites-les revenir pendant 3 minutes. Mouillez de vin et portez à ébullition. Retirez du feu et filtrez cette sauce dans une passoire fine.

- Faites revenir les échalotes 3 minutes avec le reste de beurre dans une sauteuse. Saupoudrez de farine, mélangez et laissez colorer. Ajoutez la sauce au vin, la crème et le concentré de tomate. Mélangez et laissez épaissir 10 minutes. Coupez les queues de langouste en médaillons et les asperges en morceaux.

- Sortez les feuilletés du four et tranchez-les délicatement dans la hauteur en trois parties égales.

- Procédez au montage des mille-feuilles en intercalant un disque de pâte entre deux couches de garniture composée de médaillons de langouste, de morceaux d'asperge, d'une cuillerée de sauce et de basilic. Enfournez pour 5 ou 10 minutes. Servez chaud.

POUR 4 PERSONNES

Préparation : 30 min
Cuisson : 6 à 8 min

1,5 kg de langoustines crues

1 tige de citronnelle fraîche

1 morceau de gingembre frais
de la taille d'une noix

2 gousses d'ail

300 g de pois gourmands

80 g de pousses de soja
fraîches

1/2 cuill. à café de purée
de piment

1 cuill. à soupe de sauce soja

1 cuill. à soupe de vinaigre
de riz

1 cuill. à soupe d'huile
d'arachide

1 cuill. à café d'huile de sésame

Wok de langoustines à la citronnelle

- Décortiquez les langoustines : détachez les têtes, sectionnez avec des ciseaux pointus la membrane ventrale de la carapace jusqu'au dernier anneau. Incisez la chair le long du dos et retirez le boyau noir. Rincez les langoustines puis épongez-les soigneusement avec du papier absorbant.

- Retirez les feuilles extérieures de la tige de citronnelle et réservez-les pour le décor. Émincez la tige en fines rondelles. Pelez et hachez finement le gingembre et l'ail.

- Lavez et séchez les pois gourmands et les pousses de soja. Dans une tasse, mélangez le piment, la sauce soja et le vinaigre de riz.

- Chauffez un wok (ou à défaut une grande poêle) à feu très vif. Versez l'huile d'arachide puis, quand elle est bien chaude, faites revenir l'ail, la citronnelle et le gingembre pendant 15 secondes. Ajoutez les langoustines et faites-les revenir 1 ou 2 minutes. Sortez-les du wok à l'aide d'une écumoire et gardez-les au chaud dans un plat couvert posé au-dessus d'une casserole d'eau frémissante.

- Laissez le wok à feu moyen, ajoutez les légumes et faites-les revenir 4 ou 5 minutes en remuant souvent.

- Remettez les langoustines dans le wok, ajoutez la sauce soja pimentée et mélangez délicatement. Poursuivez la cuisson pendant encore 1 minute.

- Versez dans un plat chaud et servez aussitôt en arrosant d'huile de sésame. Décorez de citronnelle.

POUR 6 PERSONNES

Préparation : 40 min
Cuisson : 1 h

soupe de langoustines

800 g de langoustines crues

1 cuill. à soupe d'huile d'olive

4 gousses d'ail

150 g d'oignons

200 g de carottes

1 petite branche de céleri

100 g de bulbe de fenouil

4 cuill. à soupe de jus
de tomate

1 pincée de thym

2 l d'eau

25 cl de vin blanc sec

4 cuill. à soupe de crème
fraîche

1 cuill. à café de pastis

3 cuill. à café de gros sel

1/2 cuill. à café de poivre

- Portez une casserole d'eau à ébullition, ajoutez le gros sel, le poivre et les langoustines. Attendez la reprise de l'ébullition, puis faites cuire pendant 2 minutes. Égouttez les langoustines et décortiquez les queues ; réservez ces dernières au frais.

- Séparez les pinces des coffres, puis à l'aide d'un pilon écrasez grossièrement les coffres. Mettez l'huile à chauffer dans une cocotte sur feu vif, jetez-y les pinces et les coffres et faites-les cuire 10 minutes en remuant.

- Pelez et dégermez l'ail, épluchez et lavez les autres légumes. Détaillez finement le tout et ajoutez-le, dans la cocotte, aux carcasses de langoustine, ainsi que le jus de tomate et le thym. Mélangez puis mouillez avec l'eau et le vin. Portez à ébullition et poursuivez la cuisson pendant 30 minutes sur feu moyen.

- Retirez ensuite les pinces de langoustine, mixez le contenu de la cocotte pendant 2 minutes et filtrez-le au travers d'une passoire fine. Remettez-le à bouillir pendant 15 minutes puis ajoutez la crème et le pastis.

- Servez la soupe chaude ou froide avec les queues de langoustine.

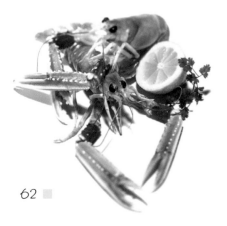

POUR 4 PERSONNES

Préparation : 30 min
Cuisson : 25 min environ

20 langoustines crues

4 poireaux

20 asperges à pointe violette

20 brins de ciboulette

6 feuilles de basilic

1 cuill. à soupe d'huile d'olive

sel et poivre du moulin

Langoustines en papillotes de poireau

- Décortiquez les langoustines : détachez les têtes, sectionnez avec des ciseaux pointus la membrane ventrale de la carapace jusqu'au dernier anneau. Incisez la chair le long du dos et retirez le boyau noir. Jetez les pinces et les coffres, salez et poivrez les queues. Réservez-les au réfrigérateur.

- Coupez la base et le vert des poireaux. Lavez les blancs et réservez 10 belles feuilles blanches parmi les plus larges. Faites cuire celles-ci 1 minute dans de l'eau bouillante, égouttez-les puis rafraîchissez-les sous l'eau froide afin de stopper la cuisson. Séchez-les avec soin.

- Épluchez les asperges et ôtez leur partie fibreuse. Lavez-les et faites-les cuire à la vapeur pendant 20 minutes. Réservez-les au chaud.

- Coupez les feuilles de poireau en deux. Lavez la ciboulette et le basilic. Disposez chaque langoustine sur une feuille de poireau, formez des petits paquets et nouez-les avec un brin de ciboulette. Versez 1 cuillerée à café d'huile dans une poêle à revêtement antiadhésif, ajoutez les papillotes ainsi formées et faites-les cuire 2 minutes de chaque côté.

- Dressez les asperges sur les assiettes et intercalez les papillotes. Salez, poivrez et décorez de basilic ciselé et de quelques gouttes d'huile. Servez aussitôt.

Préparation : 15 min
Cuisson : 22 ou 23 min

1,5 kg de langoustines

2 cuill. à soupe de persil plat ciselé

POUR LA NAGE

1 oignon

1 gousse d'ail

1 carotte

1 blanc de poireau

1 bouquet garni

70 cl d'eau

30 cl de vin blanc sec

20 g de gros sel de mer

poivre du moulin

Langoustines à la nage

- Préparez la nage. Pelez l'oignon et la gousse d'ail mais gardez-les entiers. Épluchez la carotte et le blanc de poireau, rincez-les et coupez-les en rondelles. Mettez ces légumes dans une casserole avec le bouquet garni, et poivrez. Versez l'eau, salée, et le vin. Portez à ébullition et faites cuire à petits frémissements. Comptez environ 20 minutes à partir de la reprise de l'ébullition. Écumez en cours de cuisson afin d'éliminer les impuretés qui se sont formées à la surface. Laissez refroidir la nage.

- Rincez les langoustines à l'eau fraîche.

- Portez la nage à ébullition, plongez-y les langoustines et faites-les cuire 2 ou 3 minutes selon la grosseur.

- Retirez les langoustines à l'aide d'une écumoire et disposez-les dans un plat creux bien chaud. Versez une partie de la nage dessus. Parsemez de persil et servez aussitôt.

Les langoustines exigent une cuisson « éclair ».
Trop cuite, leur chair devient molle.

POUR 6 PERSONNES

Préparation : 30 min
Cuisson : 15 min environ

scampi fritti

36 scampi (langoustines)

1 œuf

4 cuill. à soupe de farine

4 cuill. à soupe de chapelure

huile de friture

gros sel

POUR LA SAUCE TARTARE

1 jaune d'œuf

1 cuill. à café de moutarde

25 cl d'huile de tournesol

1 cuill. à café de vinaigre de vin

4 cornichons

ciboulette, estragon, cerfeuil

1 cuill. à café de câpres

2 citrons (facultatif)

sel et poivre du moulin

- Lavez les langoustines et plongez-les dans un faitout rempli d'eau bouillante salée. Faites-les cuire 3 ou 4 minutes à compter de la reprise de l'ébullition. Sortez-les du faitout et rafraîchissez-les sous l'eau froide. Ôtez les têtes et décortiquez les queues.

- Préparez la sauce tartare. Faites d'abord une mayonnaise : dans un grand bol, mélangez le jaune d'œuf et la moutarde. Versez l'huile en filet en tournant énergiquement et sans arrêt avec une cuillère en bois. Salez, poivrez et ajoutez le vinaigre. Coupez les cornichons en petits dés, hachez ciboulette, estragon, cerfeuil. Mélangez-les à la mayonnaise, ainsi que les câpres. Réservez au réfrigérateur.

- Pour frire les scampi, cassez 1 œuf dans une assiette creuse et battez-le avec 1 cuillerée à soupe d'eau, du sel et du poivre. Mettez la farine dans une deuxième assiette et la chapelure dans une troisième.

- Passez les scampi dans la farine, dans l'œuf battu et enfin dans la chapelure.

- Faites chauffer de l'huile dans une sauteuse. Plongez-y les scampi et faites-les dorer de tous côtés, pendant environ 4 minutes. Sortez-les de la sauteuse à l'aide d'une écumoire et égouttez-les en les posant sur du papier absorbant.

- Servez aussitôt. Présentez la sauce tartare en saucière ou dans un bol. Décorez avec des quartiers de citron.

En Italie, les langoustines sont appelées « scampi ».

Préparation : 30 min
Cuisson : 20 à 25 min

2 kg de moules

1 oignon

1 petit bouquet de persil plat

20 g de beurre

20 cl de vin blanc sec

1 petite branche de thym

1 feuille de laurier

poivre

POUR LA MAYONNAISE

1 jaune d'œuf à température ambiante

1 cuill. à soupe de moutarde de Dijon

20 cl d'huile de noix

200 g de cerneaux de noix

sel et poivre du moulin

Moules à la marinière aux noix

- Grattez et lavez soigneusement les moules. Épluchez et hachez finement l'oignon. Lavez, épongez et ciselez le persil.

- Préparez la mayonnaise à l'huile de noix. Dans un grand bol, mélangez le jaune d'œuf et la moutarde. Salez et poivrez. Versez l'huile en filet, en tournant énergiquement et sans arrêt avec une cuillère en bois. Ajoutez les cerneaux de noix, mélangez et réservez au réfrigérateur.

- Faites fondre le beurre dans une grande cocotte à feu modéré. Ajoutez le hachis d'oignon et laissez cuire tout doucement 5 à 10 minutes, jusqu'à ce qu'il soit bien transparent. Versez le vin, ajoutez le persil, le thym et le laurier, portez à ébullition et faites cuire 5 minutes à gros bouillons.

- Mettez les moules dans la cocotte, couvrez et faites-les cuire à feu vif 6 à 8 minutes, jusqu'à ce qu'elles s'ouvrent, en secouant souvent le récipient et en les remuant une ou deux fois.

- Dès que les moules sont toutes ouvertes, retirez du feu, versez la mayonnaise aux noix dans la cocotte et mélangez un peu. Éliminez les coquillages encore fermés et versez les autres dans le plat de service.

- Servez aussitôt, en entrée ou avec un plat de frites.

POUR 4 PERSONNES

Préparation : 30 min
Cuisson : 15 min environ

Moules en velouté safrané

1,5 kg de moules de bouchot

1 oignon jaune

50 cl de vin blanc sec

50 cl de bouillon de volaille
(frais ou préparé avec une
tablette de concentré)

4 cuill. à soupe de crème
fraîche

2 jaunes d'œufs

2 grosses pincées de pistils
de safran

quelques pluches de persil
pour le décor

sel et poivre du moulin

- Grattez et lavez soigneusement les moules. Épluchez et émincez l'oignon.

- Versez le vin et le bouillon dans une petite marmite, ajoutez l'oignon. Portez à petite ébullition puis laissez cuire encore 10 minutes.

- Augmentez le feu, mettez les moules dans le liquide bouillant, couvrez. Faites-les cuire à feu vif 2 ou 3 minutes jusqu'à ce qu'elles s'ouvrent, en remuant souvent.

- Sortez les moules avec une écumoire, décoquillez-les et gardez-les au chaud dans un récipient couvert posé sur une casserole d'eau frémissante.

- Mélangez la crème et les jaunes d'œufs. Filtrez le liquide de cuisson dans une casserole et réchauffez pour atteindre de nouveau l'ébullition. Hors du feu, ajoutez le safran puis le mélange de crème et de jaunes d'œufs. Remettez sur le feu et faites épaissir sans cesser de remuer, en veillant à ne plus faire bouillir. Goûtez et rectifiez l'assaisonnement.

- Répartissez les moules dans des coupelles chaudes et versez le bouillon dessus. Parsemez de pluches de persil et servez aussitôt.

Moules à la crème

3 kg de moules de bouchot
(ou de Hollande)

1 botte de persil plat

2 grosses échalotes
ou 4 petites

50 cl de vin blanc sec

25 cl de crème fraîche

sel et poivre du moulin

- Grattez et lavez soigneusement les moules. Égouttez-les.

- Rincez le persil et ciselez-le.

- Pelez les échalotes et émincez-les finement. Dans une grande casserole, versez le vin, ajoutez les échalotes et poivrez. Faites cuire à feu doux pendant 10 minutes.

- Mettez les moules dans la casserole, couvrez. Faites-les ouvrir à feu vif en secouant souvent le récipient et en remuant une ou deux fois. Dès qu'elles s'ouvrent, retirez du feu, versez la crème et remuez. Sortez les moules à l'aide d'une écumoire et gardez-les au chaud dans un récipient au bain-marie.

- Transvasez le jus de cuisson additionné de crème dans une casserole plus petite. Remettez sur le feu, ajoutez la moitié du persil et faites cuire à feu vif pendant 4 minutes environ afin de réduire le volume d'un quart. Goûtez et rectifiez l'assaisonnement.

- Versez le jus de cuisson réduit sur les moules et parsemez du reste de persil. Servez aussitôt.

POUR 4 PERSONNES

Préparation : 40 min
Cuisson : 20 min

Mouclade

4 l de moules de bouchot

2 verres de vin blanc sec

50 g d'échalotes

2 gousses d'ail

1 bouquet garni

30 cl de crème fraîche

1 dose de safran

1 cuill. à soupe rase de curry
en poudre

1 pincée de piment de Cayenne

2 jaunes d'œufs

- Grattez et lavez soigneusement les moules. Mettez-les dans un grand faitout, ajouter le vin, les échalotes, l'ail haché et le bouquet garni. Faites ouvrir les moules à feu vif pendant 5 à 10 minutes, en remuant souvent ou en secouant le faitout.

- Versez-les dans une passoire en récupérant le jus de cuisson. Ôtez la coquille supérieure des moules et rangez-les dans un plat creux une par une. Tenez-les au chaud pendant le temps de préparation de la sauce.

- Filtrez le jus de cuisson dans une casserole. Ajoutez la crème fraîche et le safran. Laissez réduire à feu doux avant d'y mettre le curry et le cayenne. Retirez du feu et incorporez les jaunes d'œufs. Versez la préparation sur les moules et servez aussitôt.

POUR 6 PERSONNES

Préparation : 30 min
Cuisson : 1 h environ

500 g de moules

250 g de pâte brisée préétalée

30 g de beurre

1 cuill. à soupe de farine

10 cl de lait

10 cl de crème liquide

1 pincée de cumin en poudre

4 œufs

100 g de mimolette

sel et poivre du moulin

Quiche aux moules et au cumin

- Préchauffez le four à 180 °C (therm. 6).

- Nettoyez les moules en les grattant sous l'eau. Mettez-les dans une casserole avec un verre d'eau, couvrez. Chauffez à feu vif pendant 3 minutes environ, le temps que les coquillages s'ouvrent.

- Égouttez les moules en récupérant le jus de cuisson. Décoquillez-les.

- Garnissez de pâte un moule à manqué de 26 cm de diamètre, préalablement recouvert de papier sulfurisé. Faites cuire à blanc pendant 10 minutes.

- Pendant ce temps, préparez une sauce Béchamel. Faites fondre le beurre dans une petite casserole. Saupoudrez de farine et mélangez bien pendant 2 minutes, puis ajoutez le lait, la crème, le cumin et 15 cl de jus de cuisson des moules filtré. Laissez épaissir le mélange en remuant régulièrement. Au bout de 10 minutes environ, retirez du feu. Rectifiez l'assaisonnement. Si des grumeaux subsistent malgré toutes vos précautions, n'hésitez pas à mixer la sauce. Ajoutez les œufs battus, les moules décoquillées et le fromage préalablement râpé. Mélangez bien.

- Versez la préparation aux moules sur le fond de pâte précuit et enfournez pour 35 à 40 minutes.

- Servez chaud avec une salade verte.

POUR 4 PERSONNES

Préparation : 10 min
Cuisson : 25 min environ

1,5 kg de palourdes

1 oignon

1/2 chorizo doux ou piquant

100 g de jambon cru

6 cuill. à soupe d'huile d'olive

un peu de piri-piri

1 cuill. à café de piment doux
en poudre

1 botte de coriandre fraîche

sel et poivre du moulin

Palourdes à la mode de l'Algarve

- Lavez et brossez les palourdes.

- Pelez et émincez finement l'oignon.

- Coupez le chorizo en rondelles et le jambon en fines lamelles.

- Dans une grande casserole à fond épais, faites chauffer l'huile et faites-y revenir l'oignon. Ajoutez le chorizo et le jambon. Laissez mijoter à feu doux pendant 10 minutes.

- Ajoutez les palourdes. Assaisonnez avec le piri-piri, le piment doux, du sel et du poivre. Couvrez la casserole et poursuivez la cuisson 10 à 15 minutes, jusqu'à ce que toutes les palourdes soient ouvertes.

- Ajoutez la coriandre ciselée et laissez mijoter encore 2 minutes. Servez aussitôt.

POUR 4 PERSONNES

Préparation : 20 min
Cuisson : 30 min environ

320 g de riz parfumé
(type basmati ou thaï)

1 morceau de thon sans peau
et sans arêtes de 400 g environ

1 oignon

3 gousses d'ail

1 tige de citronnelle fraîche

100 g de champignons de Paris

1 kg de palourdes

2 cuill. à soupe d'huile
de tournesol

3 cuill. à soupe de nuoc-mâm

1/2 cuill. à soupe d'huile
de sésame

1 cuill. à café de purée
de piment (facultatif)

2 cuill. à soupe de coriandre
ciselée + quelques pluches
pour le décor

poivre du moulin

Riz sauté aux palourdes et au thon

- Lavez le riz plusieurs fois à grande eau puis égouttez-le. Mettez-le dans une casserole avec 60 cl d'eau et amenez à ébullition. Après 5 minutes de cuisson, quand l'eau est presque évaporée, couvrez et laissez mijoter 15 minutes à feu très doux. Étalez ensuite le riz sur une plaque, laissez-le refroidir puis mettez-le au réfrigérateur.

- Rincez le morceau de thon, épongez-le et coupez-le en cubes de 2 cm. Pelez et émincez l'oignon. Pelez et écrasez les gousses d'ail. Supprimez les feuilles extérieures de la citronnelle et émincez finement la tige. Nettoyez et émincez les champignons.

- Lavez plusieurs fois les palourdes puis égouttez-les. Chauffez une casserole à feu vif, versez 1 cuillerée à soupe d'eau puis jetez-y les palourdes, couvrez. Faites ouvrir les palourdes en secouant souvent le récipient. Retirez aussitôt du feu, laissez tiédir et décoquillez-en la moitié. Mettez-les toutes dans un saladier et gardez-les au chaud au bain-marie.

- Faites chauffer l'huile de tournesol dans un wok (ou une grande poêle) à feu vif. Mettez-y l'oignon, l'ail, la citronnelle ; poivrez et faites revenir 2 minutes en remuant. Ajoutez le thon et les champignons, puis, 2 minutes après, le riz. Poursuivez la cuisson pendant encore 3 minutes. Versez enfin le nuoc-mâm et l'huile de sésame, ajoutez les palourdes décoquillées, le piment et la coriandre, mélangez bien et faites cuire encore 2 minutes.

- Versez dans un plat creux bien chaud, disposez les palourdes non décoquillées sur le riz, parsemez de coriandre et servez.

POUR 4 PERSONNES

Préparation : 30 min
Cuisson : 15 min

1 tomate

1 gousse d'ail

100 g de champignons de Paris

40 cl de lait de coco

1 pincée de piment en poudre

1 morceau de gingembre frais
de 1 cm de long

400 g de noix de pétoncle

le jus de 1 citron vert

2 cuill. à soupe de nuoc-mâm

1 petit bouquet de coriandre
fraîche

sel

Soupe de pétoncles à la thaïlandaise

- Ébouillantez la tomate, rafraîchissez-la, pelez-la puis coupez-la en petits dés. Pelez la gousse d'ail et émincez-la.

- Ôtez le bout terreux des champignons de Paris, rincez-les puis émincez-les.

- Versez le lait de coco dans une casserole, complétez avec environ 50 cl d'eau et faites chauffer. Ajoutez les dés de tomate, les champignons, l'ail et le piment en poudre.

- Pelez le morceau de gingembre et râpez-le au-dessus de la casserole. Lorsque le liquide arrive à ébullition, baissez le feu et laissez mijoter doucement 10 minutes environ. Ajoutez les noix de pétoncle et poursuivez la cuisson 3 minutes pour les réchauffer.

- Versez le jus de citron et le nuoc-mâm, salez modérément, mélangez bien et répartissez la soupe dans des bols ou des assiettes creuses.

- Parsemez de feuilles de coriandre et servez sans attendre.

Vous pouvez remplacer la moitié des pétoncles par 200 g de crevettes ou de langoustines cuites décortiquées ou encore par quelques morceaux de lotte.

300 g de laitue (ou de feuille
de chêne)

2 à 2,5 kg de pétoncles

20 cl de vin blanc sec

POUR LA VINAIGRETTE

2 échalotes

1 citron

12 brins de ciboulette

4 cuill. à soupe d'huile
de noisette

sel et poivre du moulin

Pétoncles et laitue en vinaigrette

- Préparez la vinaigrette. Épluchez et hachez très finement les échalotes. Pressez le citron. Ciselez la ciboulette. Dans un saladier, mélangez d'abord le jus de citron et du sel jusqu'à ce que le sel soit dissous. Ajoutez l'huile, un tour de moulin à poivre, l'échalote et la ciboulette. Mélangez.

- Lavez et essorez la laitue.

- Lavez les pétoncles dans plusieurs bains d'eau froide en les remuant bien pour enlever tout le sable. Ouvrez-les au-dessus d'un saladier. Pour le faire plus facilement, vous pouvez auparavant les mettre dans un plat et placer celui-ci pendant 2 ou 3 minutes dans le four chaud : elles vont s'entrouvrir. Détachez ensuite les noix et le corail, s'il y en a.

- Filtrez l'eau des coquillages dans une casserole à l'aide d'une passoire fine tapissée de papier absorbant. Ajoutez le vin et portez à ébullition. Mettez alors les pétoncles et laissez frémir à peine 2 minutes. Égouttez-les aussitôt. Versez-les dans le saladier et mélangez-les avec la vinaigrette.

- Disposez les feuilles de laitue sur les assiettes. Ajoutez les pétoncles avec leur sauce par-dessus et servez aussitôt.

POUR 4 PERSONNES

Préparation : 20 min
Cuisson : 15 min

100 g de fèves décortiquées
(fraîches ou surgelées)

1 échalote

200 g de girolles
(fraîches ou surgelées)

2 cuill. à soupe d'huile

10 g de beurre

15 cl de crème liquide

180 g de tagliatelles (sèches)
au sarrasin

400 g de noix de pétoncle
(fraîches ou surgelées)

quelques brins d'aneth

sel et poivre du moulin

Tagliatelles aux noix de pétoncle

- Portez de l'eau à ébullition dans une casserole. Salez puis plongez-y les fèves 5 minutes (si vous utilisez des fèves surgelées, suivez les instructions indiquées sur l'emballage). Égouttez-les puis pelez-les et réservez dans un bol.

- Pelez et émincez l'échalote. Nettoyez les girolles. Faites chauffer 1 cuillerée à soupe d'huile et le beurre dans une sauteuse et faites-y suer l'échalote et les champignons jusqu'à évaporation de l'eau de végétation. Salez, poivrez et ajoutez la crème. Laissez mijoter 2 minutes.

- Faites cuire les pâtes dans un grand volume d'eau salée en suivant le temps de cuisson indiqué sur l'emballage, puis égouttez-les en gardant un peu d'eau de cuisson.

- Chauffez le reste d'huile dans une petite poêle et faites cuire les noix de pétoncle pendant environ 2 minutes en remuant sans cesse (si vous utilisez des noix de pétoncle surgelées, faites-les décongeler auparavant).

- Versez les pâtes dans la sauteuse contenant les champignons avec 1 ou 2 cuillerées à soupe d'eau de cuisson et mélangez pour bien les enrober. Incorporez les fèves et les noix de pétoncle, salez, poivrez et mélangez. Parsemez aussitôt d'aneth et servez.

À défaut de pâtes au sarrasin, utilisez des pâtes complètes (tagliatelles, spaghetti...). Vous pouvez ajouter une poignée de crevettes décortiquées en fin de cuisson des pétoncles.

POUR 4 À 6 PERSONNES

Préparation : 20 min
Cuisson : 1 h 30

Poulpe à la provençale

1 poulpe de 1 à 1,2 kg

2 l de court-bouillon pour
poisson (frais ou préparé
avec une base de produit
déshydraté)

2 oignons

6 tomates

2 gousses d'ail

4 cuill. à soupe d'huile d'olive

1/2 bouteille de vin blanc sec

1 bouquet garni

2 cuill. à soupe de persil ciselé

sel et poivre du moulin

- Rincez le poulpe. Plongez-le dans de l'eau bouillante quelques minutes. Égouttez-le. Retirez la fine pellicule qui recouvre le corps ainsi que la poche d'encre. Faites chauffer le court-bouillon.

- Coupez les tentacules et le corps du poulpe en tronçons de 2 ou 3 cm. Plongez-les dans le court-bouillon pendant 10 minutes, égouttez-les et épongez-les bien.

- Épluchez et hachez les oignons. Rincez les tomates, plongez-les quelques instants dans l'eau bouillante, pelez-les et coupez-les en gros morceaux. Pelez et écrasez les gousses d'ail.

- Faites chauffer l'huile dans une cocotte et mettez-y à revenir le poulpe avec l'oignon haché pendant 5 minutes. Salez et poivrez.

- Ajoutez les tomates. Faites mijoter 10 minutes.

- Versez le vin et autant d'eau froide. Ajoutez le bouquet garni et l'ail. Faites cuire à couvert pendant 1 heure au moins.

- Goûtez et rectifiez l'assaisonnement. Versez dans un plat de service et parsemez de persil. Servez aussitôt.

24 praires

200 g de champignons de Paris

le jus de 1/2 citron

20 g de beurre

2 ou 3 feuilles de chou chinois

1 tige de citronnelle fraîche

50 cl de bouillon de volaille
(frais ou préparé avec une
tablette de concentré)

1 cuill. à soupe de sauce soja

1 cuill. à soupe de coriandre
ciselée

sel et poivre du moulin

Petit consommé de praires à l'asiatique

- Lavez soigneusement les praires à grande eau. Égouttez-les.

- Supprimez le bout terreux des champignons. Rincez-les, séchez-les, coupez-les en lamelles, puis arrosez-les aussitôt du jus de citron. Faites-les revenir à feu vif avec le beurre jusqu'à ce qu'ils aient rendu toute leur eau de végétation. Réservez-les.

- Rincez et égouttez les feuilles de chou puis taillez-les en fines lanières.

- Retirez les feuilles extérieures de la tige de citronnelle et émincez la tige en rondelles aussi fines que possible.

- Mettez le bouillon et la citronnelle dans un faitout et portez à ébullition. Jetez les praires dans le liquide bouillant, couvrez et faites cuire pendant 2 ou 3 minutes, jusqu'à ce que tous les coquillages soient ouverts. Sortez-les à l'aide d'une écumoire et laissez tiédir un peu.

- Filtrez le bouillon de cuisson dans une casserole. Ajoutez les champignons, le chou émincé, la sauce soja et rectifiez éventuellement l'assaisonnement.

- Décoquillez les praires et répartissez les noix dans quatre coupelles. Versez le consommé bouillant, parsemez de coriandre et servez aussitôt.

POUR 4 PERSONNES

Préparation : 20 min
Marinade : 1 h
Cuisson : 4 à 6 min

2 petits oignons doux
1 branche de thym
1 cuill. à café d'origan
2 cuill. à soupe d'huile d'olive
800 g de blancs de seiche
sel et poivre du moulin

Blancs de seiche aux herbes de Provence

- Pelez les oignons et coupez-les en rondelles.
- Effeuillez le thym et mélangez-le dans un bol avec l'origan et l'huile d'olive.
- Rincez les blancs de seiche puis essuyez-les avec du papier absorbant. Coupez-les par le milieu dans le sens de la longueur. Enfilez-les sur quatre brochettes, en les alternant avec des rondelles d'oignon. Posez les brochettes dans un plat creux puis, à l'aide d'un pinceau, enduisez-les largement d'huile aux herbes. Salez, poivrez et laissez mariner 1 heure au réfrigérateur.
- Préparez la braise du barbecue ou allumez le gril du four.
- Faites griller les brochettes pendant 4 à 6 minutes en les retournant plusieurs fois. Servez aussitôt, avec une salade de tomates, par exemple.

Choisissez des petites seiches, elles seront plus tendres et plus faciles à embrocher.

POUR 4 PERSONNES

Préparation : 30 min
Trempage : 15 min
Cuisson : 40 min environ

4 seiches

50 g de raisins de Corinthe

3 oignons

4 gousses d'ail

10 cl d'huile d'olive

1 feuille de laurier

1 pointe de piment de Cayenne

1 cuill. à soupe de paprika

10 cl de vin blanc sec

30 g de pignons de pin

2 cuill. à soupe de persil plat ciselé

sel

seiches au paprika et aux fruits secs

- Rincez les seiches. Pour chacune, retirez la fine pellicule qui recouvre le corps. Incisez celui-ci, videz les parties molles et retirez l'« os » central. Coupez le bas de la tête pour éliminer les yeux, le bec corné et la poche d'encre. Coupez en dés le « blanc de seiche » (le corps) et en petits tronçons la tête avec les tentacules. Rincez à nouveau tous les morceaux et épongez avec du papier absorbant.

- Faites tremper les raisins dans de l'eau tiède pendant 15 minutes.

- Pelez les oignons et les gousses d'ail et hachez-les finement.

- Dans une cocotte, faites chauffer l'huile, ajoutez les oignons et l'ail, le laurier, le cayenne et les morceaux de seiche. Salez et saupoudrez de paprika. Faites revenir l'ensemble à feu moyen pendant 8 à 10 minutes.

- Mouillez avec le vin et laissez cuire à feu vif pendant 5 ou 6 minutes. Versez la même quantité d'eau et poursuivez la cuisson à feu doux à couvert pendant 20 minutes. Veillez à ce qu'il ne manque pas de liquide. Rajoutez un peu d'eau si nécessaire.

- Lorsque les morceaux de seiche sont tendres, ajoutez les raisins égouttés et les pignons. Laissez cuire encore 5 minutes. Goûtez et rectifiez l'assaisonnement. Parsemez de persil et servez aussitôt, avec des courgettes poêlées, par exemple.

POUR 8 PERSONNES

Préparation : 50 min
Cuisson : 50 min

Paella

1 poulet de 1,5 kg

350 g de praires

350 g de coques

16 moules d'Espagne

400 g d'anneaux de calmar

25 cl d'huile d'olive

16 langoustines

2 oignons

2 poivrons

6 tomates

1 dose de safran

2 gousses d'ail

250 g de haricots verts frais

250 g de petits pois
(frais ou surgelés)

400 g de riz long

1 pincée de piment de Cayenne

sel et poivre du moulin

- Découpez le poulet en huit morceaux. Lavez et brossez les praires, les coques et les moules. Rincez les anneaux de calmars ; s'ils sont gros, détaillez-les en lanières. Hachez les oignons. Lavez, épépinez et taillez les poivrons en lanières. Lavez, épépinez et concassez les tomates.

- Dans une paellera (ou une cocotte ou un faitout plat), chauffez l'huile d'olive et faites-y dorer les langoustines. Réservez-les.

- Mettez les morceaux de poulet dans la paellera et faites-les revenir. Ajoutez les lanières de calmar puis les oignons, les poivrons et les tomates.

- Saupoudrez le tout de safran, ajoutez l'ail écrasé, les haricots verts coupés en tronçons et les petits pois. Faites cuire à feu doux pendant 15 minutes environ.

- Mesurez le volume du riz et faites bouillir une quantité d'eau égale à deux fois ce volume.

- Préchauffez le four à 220 °C (therm. 7-8).

- Ajoutez le riz dans la paellera, mélangez puis mettez les praires, les coques et les moules. Versez l'eau bouillante, salez et pimentez avec le cayenne. Portez le tout à ébullition, couvrez et enfournez pour 25 minutes.

- Retirez le plat du four et disposez-y les langoustines. Laissez reposer 10 minutes avant de servir.

Préparation : 30 min
Cuisson : 40 min environ

Quiche marine

1 rouleau de pâte brisée
préétalée

1 l de moules de bouchot

3 œufs entiers + 2 jaunes

15 cl de crème liquide

15 cl de lait

2 cuill. à soupe de pastis

1 brin de marjolaine
(ou 1 pincée d'origan)

250 g de crevettes roses
décortiquées

sel et poivre du moulin

- Garnissez de pâte brisée un moule de 24 cm de diamètre, préalablement beurré.

- Pendant ce temps, nettoyez soigneusement les moules en les grattant sous l'eau froide. Mettez-les dans une casserole, couvrez et chauffez à feu vif 3 minutes environ, le temps que les coquillages s'ouvrent. Égouttez les moules, en gardant 4 cuillerées à soupe de jus de cuisson, puis décoquillez-les.

- Préchauffez le four à 180 °C (therm. 6).

- Battez les œufs entiers avec les jaunes, la crème, le lait, du sel, du poivre, puis ajoutez le pastis, le jus de cuisson des moules et la marjolaine effeuillée.

- Mélangez les moules et les crevettes et versez cette préparation sur le fond de tarte. Nappez avec la crème au pastis et enfournez pour 30 à 35 minutes. Servez aussitôt.

Préparation : 35 min
Cuisson : 1 h environ

Pizza océane

300 g de pâte à pain fraîche
(à acheter chez le boulanger)

25 moules environ

150 g d'anneaux de calmar

900 g de tomates

4 cuill. à soupe d'huile d'olive

400 g de mozzarella

200 g de crevettes cuites
décortiquées

10 à 12 olives noires

1 cuill. à soupe d'origan séché

sel et poivre du moulin

- Étalez la pâte sur le plan de travail fariné en formant un rectangle un peu plus petit que la plaque du four (30 x 40 cm). Tapissez la plaque de papier sulfurisé et déposez la pâte dessus.

- Nettoyez les moules en les grattant sous l'eau froide. Mettez-les dans une casserole avec 1 verre d'eau, couvrez et chauffez à feu vif pendant 3 minutes environ, le temps que les coquillages s'ouvrent. Égouttez les moules et décoquillez-les.

- Faites cuire 10 minutes les anneaux de calmar dans de l'eau bouillante salée et égouttez-les.

- Rincez les tomates, ébouillantez-les, pelez-les, épépinez-les et concassez-les grossièrement.

- Chauffez la moitié de l'huile à feu doux dans une sauteuse et faites-y revenir les tomates pendant 10 minutes.

- Préchauffez le four à 210 °C (therm. 7).

- Coupez la mozzarella en cubes.

- Chauffez le reste d'huile à feu vif dans une poêle et faites-y revenir les anneaux de calmar pendant 5 minutes. Égouttez-les sur du papier absorbant.

- Étalez une couche de tomate sur la pâte, puis disposez les cubes de mozzarella, les moules, les anneaux de calmar, les crevettes et les olives. Salez et poivrez, puis saupoudrez d'origan. Enfournez pour 30 minutes environ. Servez bien chaud.

Pour gagner du temps, vous pouvez utiliser un mélange de fruits de mer surgelés prêt à l'emploi. Faites-les cuire auparavant 5 minutes à l'eau bouillante et égouttez-les.

POUR 4 À 6 PERSONNES

Trempage : 2 h
Préparation : 20 min
Cuisson : 20 min

800 g de coques

800 g de moules

400 g de tagliatelles fraîches

18 grosses crevettes roses cuites

50 g de beurre

25 cl de crème liquide

gros sel de mer

sel et poivre du moulin

Tagliatelles aux fruits de mer

- Mettez les coques à tremper dans de l'eau salée (100 g de gros sel de mer par litre) pendant 2 heures afin d'éliminer tout le sable. Rincez-les ensuite dans plusieurs eaux, jusqu'à ce que la dernière soit claire.

- Grattez et lavez soigneusement les moules. Égouttez-les.

- Mettez les coquillages dans une casserole, couvrez et faites-les ouvrir à feu vif en secouant souvent le récipient et en remuant une ou deux fois. Retirez-les du feu dès qu'ils sont ouverts. Sortez-les à l'aide d'une écumoire et décoquillez-les. Gardez-en quelques-uns dans leur coquille pour le décor.

- Filtrez le jus de cuisson dans une casserole et réservez-le.

- Faites cuire les pâtes à l'eau bouillante salée en comptant 10 à 15 minutes à partir de la reprise de l'ébullition. Surveillez la cuisson et goûtez-les. Les pâtes doivent rester fermes.

- Décortiquez toutes les crevettes et fendez-les en deux.

- Versez les pâtes dans une passoire et égouttez-les. Remettez-les dans la casserole, placez sur feu doux et incorporez par petites quantités le beurre tout en remuant, puis la crème liquide.

- Ajoutez les coques, les moules et les crevettes dans la préparation. Mélangez délicatement tout en versant l'eau de cuisson des coquillages. Goûtez et rectifiez l'assaisonnement. Servez aussitôt dans des assiettes creuses bien chaudes. Décorez de coques et de moules en coquille.

Risotto de la mer

8 filets de rouget de 100 g
chacun environ, avec la peau
mais écaillés

16 gambas crues

300 g de palourdes

2 échalotes

1 gousse d'ail

2 cuill. à soupe de vin blanc sec

4 cuill. à soupe d'huile d'olive

200 g de riz spécial risotto

60 cl de fumet de poisson
(frais ou préparé avec une base
de produit déshydraté)

100 g de pulpe de tomate
en dés

sel et poivre du moulin

- Rincez les filets de rouget et les gambas à l'eau puis épongez-les avec soin. Rincez les palourdes dans plusieurs eaux, jusqu'à ce que la dernière soit claire. Égouttez-les.

- Pelez et émincez les échalotes et la gousse d'ail.

- Chauffez le vin dans une casserole, ajoutez les palourdes, couvrez. Faites ouvrir les coquillages à feu vif en secouant souvent le récipient. Sortez-les à l'aide d'une écumoire et gardez-les au chaud dans un récipient au bain-marie. Filtrez le jus de cuisson.

- Chauffez l'huile dans une sauteuse et faites revenir les filets de rouget à feu moyen pendant 3 minutes, la peau au-dessus. Sortez-les délicatement avec une écumoire et gardez-les au chaud en les couvrant avec une feuille d'aluminium.

- Faites revenir les gambas à feu vif dans la même sauteuse, 1 minute de chaque côté. Décortiquez-les et maintenez-les au chaud avec les filets de rouget.

- Mettez ensuite l'ail et l'échalote dans la sauteuse. Faites-les revenir 1 ou 2 minutes puis ajoutez les dés de tomate. Poursuivez la cuisson pendant encore 1 ou 2 minutes.

- Versez le riz dans la sauteuse et mélangez. Quand les grains sont transparents, mouillez avec le fumet et le jus de cuisson des palourdes, remuez, puis couvrez et faites cuire doucement 15 à 20 minutes, jusqu'à ce que tout le liquide soit absorbé. Rectifiez l'assaisonnement.

- Décoquillez les palourdes, mélangez-les au riz puis posez les filets de rouget et les gambas en surface. Retirez du feu, couvrez et laissez reposer 2 minutes avant de servir dans des assiettes bien chaudes.

Préparation : 30 min
Cuisson : 40 min environ

200 g d'orge perlé

500 g de coques

500 g de palourdes
ou de praires

250 g de moules

2 petits bulbes de fenouil

2 gousses d'ail

1 cuill. à soupe d'huile d'olive

1 cuill. à soupe de persil haché

2 cuill. à soupe de crème
fraîche

sel et poivre du moulin

Orge perlé aux coquillages, façon risotto

- Lavez l'orge et égouttez-le. Rincez les coquillages dans plusieurs eaux. Nettoyez et émincez finement le fenouil. Pelez, dégermez l'ail et hachez-le.

- Mettez tous les coquillages dans un faitout, couvrez et faites-les ouvrir à feu vif pendant 5 minutes environ, en secouant souvent le récipient. Versez-les dans une passoire au-dessus d'un saladier, laissez-les tiédir et décoquillez-les. Filtrez le jus de cuisson.

- Faites chauffer l'huile dans une cocotte, ajoutez le fenouil et laissez cuire 5 minutes à feu très doux en remuant. Ajoutez l'orge et mélangez bien. Versez 75 cl de jus de cuisson des coquillages (complétez avec de l'eau si nécessaire), salez, poivrez et portez à ébullition. Baissez ensuite le feu, couvrez et faites cuire doucement pendant 30 minutes.

- En fin de cuisson, incorporez l'ail, le persil, la crème et mélangez bien. Ajoutez les coquillages pour les réchauffer, remuez délicatement et laissez encore 2 ou 3 minutes sur le feu. Servez aussitôt.

POUR 4 PERSONNES

Préparation : 20 min
Cuisson : 40 min environ

4 beaux poivrons rouges

250 g de riz basmati

250 g de raisins secs

500 g de moules

200 g de noix de pétoncle

100 g de crevettes roses
décortiquées

3 gousses d'ail

80 g de beurre

20 cl de vin blanc sec

1 cuill. à café de graines
de coriandre

sel et poivre du moulin

Poivrons farcis aux fruits de mer

- Rincez et essuyez les poivrons. Coupez la base du côté de la queue et retirez les graines et les filaments blancs de l'intérieur. Rangez-les dans un plat juste assez grand pour les contenir.

- Faites cuire le riz avec les raisins secs pendant environ 8 minutes dans l'eau bouillante salée. Égouttez et mettez de côté.

- Grattez et lavez soigneusement les moules. Égouttez-les. Rincez les noix de pétoncle et les crevettes. Égouttez-les.

- Pelez les gousses d'ail et hachez-les finement. Faites fondre la moitié du beurre dans une sauteuse à feu modéré, ajoutez l'ail et faites-le cuire doucement pendant 5 à 10 minutes pour qu'il soit transparent et tendre. Versez le vin, portez à ébullition puis ajoutez les moules, les noix de pétoncle et les crevettes. Couvrez et faites cuire à feu doux pendant 5 minutes. Laissez tiédir un peu puis décoquillez les moules.

- Ajoutez le riz aux raisins et la coriandre au contenu de la sauteuse. Mélangez jusqu'à ce que le riz ait absorbé tout le liquide de cuisson des fruits de mer. Rectifiez l'assaisonnement.

- Préchauffez le four à 180 °C (therm. 6).

- Remplissez les poivrons de farce. Faites fondre le reste de beurre dans une petite casserole et versez-le sur les poivrons. Enfournez et laissez cuire environ 20 minutes en arrosant souvent avec le jus de cuisson et en couvrant avec une feuille d'aluminium à mi-cuisson pour que la surface reste moelleuse.

- Servez à la sortie du four.

Table des équivalences France-Canada

POIDS

55 g	2 onces	200 g	7 onces	500 g	17 onces
100 g	3 onces	250 g	9 onces	750 g	26 onces
150 g	5 onces	300 g	10 onces	1 kg	35 onces

Ces équivalences permettent de calculer, à quelques grammes près, le poids (en réalité, 1 once = 28 g).

CAPACITÉS

25 cl	1 tasse	75 cl	3 tasses
50 cl	2 tasses	1 l	4 tasses

Pour faciliter la mesure des capacités, une tasse équivaut ici à 25 cl (en réalité, 1 tasse = 8 onces = 23 cl).

Direction éditoriale : Colette Hanicotte
Édition : Ewa Lochet, assistée de Camille Plessis
Direction artistique : Emmanuel Chaspoul
Conception graphique : Jacqueline Bloch
Mise en page : Martine Debrais, assistée de Cynthia Savage
Lecture-correction : Chantal Pagès
Fabrication : Annie Botrel
Couverture : Anne Jolly, sous la direction de Véronique Laporte

Photographies des recettes (© coll. Larousse) : Nicolas Bertherat (stylisme Coco Jobard, assistée de Laetitia Schuster) : pages 61, 73, 89, 93 ; Daniel Czap (stylisme Marie-Line Salaün) : page 29 ; Jean-Blaise Hall (stylisme Coco Jobard, assistée de Christiane Mèche) : pages 19, 69 ; Nicolas Leser (stylisme Ulrike Skadow) ; pages 5, 7, 11, 15, 23, 25, 37, 39, 45, 47, 55, 65, 71, 77, 85 ; Graham Miller : pages 33, 43 ; Bernard Radvaner (stylisme Anne-Sophie Lhomme) : page 81 ; Corinne Ryman et Pierre Cabannes, assistés de Bruno Berbessoux : page 51 ; Fabrice Subiros (stylisme Emmanuel Renault) : page 59.
Photographies des produits : Olivier Ploton © coll. Larousse.
Photographies de la couverture : ht g © P. Nobilé / StockFood Creative / Getty Images ; ht d © Heidi Coppock-Beard / Iconica / Getty Images ; bas g © Allison Dinner / StockFood Creative / Getty Images ; bas d © C. Fleurent/ Sucré-Salé.

ISBN : 2-03-582366-8

Photogravure AGC, Saint-Avertin – Imprimé en Espagne par Graficas Estella, Estella
Dépôt légal : novembre 2006 – 300700/01 octobre 2006